大前研一

ロウアーミドルの衝撃

M型社會

中產階級消失的危機與商機

譯者◎劉錦秀、江裕真

C O N T E N T S

目次

CONTENTS

目次

介於觀眾和演員之間

熊秉元 台灣大學經濟系教授

復活島（Easter Island）上的石像，舉世聞名。可是，一般人大概不清楚，復活島上共有八百八十七個石像，大小不等。其中，兩百八十座石像昂首而立，遠眺天際；另外一百座左右，散落在道路兩旁，顯然是正在運送途中。其他半數左右的石像，聚集在雷諾瓦瓦谷採石場（Rano Raraku quarry），正在加工。

為什麼呢？到底發生了什麼事？答案是：復活島上，經歷了一場緩慢、不可逆轉、結局悲慘的變化。最後，社會解體，文明崩潰，島民滅亡。那些不同狀態的石像，正是復活島社會消失那一刻的寫照。

經過長期的研究，科學家已經大致拼湊出，復活島所經歷的浩劫。這個位於太平洋的島嶼，原來綠蔭蔥蔥，為森林所覆蓋。然而，不知道是哪些原因使然，島民們開始雕塑巨型石像；這種作法一旦成為信念，就成為歷代島民念茲在茲、奉行不渝的使命。為了工作的需要，島民開始砍伐森林；森林面積減少，土壤裡的水分流失，地表較肥沃土壤被海風吹走。經過八百年左右的光陰，島上樹木被砍伐殆盡，貧瘠的土壤無法孕育作物；經濟瓦解，文明崩潰，島民滅絕。

復活島的故事，生動而令人心驚的出現在戴蒙（Jared Diamond）《崩潰：社會興衰錄》（Collapse: How Societies Choose to Fall or Succeed）這本書裡。可是，在這個慢性死亡的過程裡，難道復活島的島民都毫無警覺、都坐以待斃嗎？當然不是，不過，即使島民有所警覺，也未必能力挽狂瀾。原因很簡單：八百年，是一段漫長的歲月；在每個島民的有生之年，最多只能察覺到，森林面積有「微量」的變化。因此，不容易意識到問題的嚴重性，更不容易掙脫傳統、改弦更張。

戴蒙描述復活島的辛酸史，當然是藉古諭今。他認為，廿一世紀的今天，整個地球就像是一個復活島。如果人們濫用資源、蹂躪環境，長此以往，就可能走上復活島同樣的軌跡。復活島的文明已經崩潰，因此人類的文明也可能崩潰。為了避免人類文明的浩劫，他苦口婆心的提出一些政策建議。

復活島的悲歌，令人心驚；戴蒙的呼籲，令人駐足。當然，除了戴蒙之外，還有很多人和他一樣；他們是先知先覺者，發現問題於無形，而且大聲疾呼，希望能敲響警鐘，振聾啟聵，扭轉乾坤——《M型社會》的作者大前研一，顯然就是其中很特別的一位。

《M型社會》的主要觀察，是在世紀交替之際，日本社會逐漸形成一種兩峰的結構：所得高的一小群人，和所得低的大多數人。而且，兩群人距離愈來愈遠，有點像是M型一般；相形之下，過去基本上是ㄇ型或凸型。如果M型的社會結構確實成立，馬上引發出一連串的問題。譬如，社會呈現兩極化的發展，為什麼？除了日本之外，M型的結構，在其他社會是不是也成立？還有，M型結構，到底好不好？如果不好，怎麼辦？

造成M型的社會結構，有很多種可能的原因。其中之一，是產業結構和經濟活動的性質，都發生根本的轉變。過去，經濟活動的範圍，大致上集中在有限的地理區域裡；現在，連鎖店、跨國公司、網際網路等等，大幅度的擴充了經濟活動的範圍。因此，只要在各個小區域裡都賺一些（小）錢，累積之後，就可能成為M型右肩的成員──比爾蓋茲，正是這個新富巨富階級裡最極端的例證。

那麼，M型結構到底好不好呢？和ㄇ型或凸型結構相比，兩極化代表所得分配愈益不均；連帶的，這兩群人的生活、消費、自我認知等等，都受到影響。M型的結構，似乎意味著整個社會往下沈淪。然而，也未必如此。一旦把時間拉長，事物的意義會清楚一些；在價值判斷上，也可能有不同的解讀。

譬如，工業革命之後，工廠林立；男女老少，離開家庭，走入工廠。還有，農業社會裡，三代同堂；工商業社會裡，小家庭當道。以工業革命前和農業社會為基準，家庭型態和性質的轉變，可能是「不好的」；然而，就生活品質和個人自主而言，工業革命後和工商業社會裡的家庭，可能都是歷史的高峰。同樣的道理，M型結構如果確實成立，所反映的只是人類社會發展過程中，階段性的特色而已。放在時間的脈流中來看，一時一地的價值判斷，未必中肯。

不過，無論在社會整體上的意義如何，一般人最關心的，當然還是自己。在M型結構的社會裡，如何自處，如何自求多福呢？

對於這個問題，戴蒙和大前研一、以及讀者本身的生活經驗，剛好提供三個清晰的參考座標。復活島上的島民，即使體會到森林逐漸消失；因為大勢所趨，渺小的個人只是杯水車薪。M型社會裡，兩極化的趨勢逐漸形成；對於諸多力量匯總而成的趨勢，個人也許無從扭轉。然而，即使處在M型的左肩，也還是有很多因應之道——關於這一點，大前研一有諸多既實際又有趣的著墨。

最後一個參考座標：廿一世紀初，少子化已經是全球性的趨勢。在每個人的生活經驗裡，都是耳聞目見；中產階級的家庭，通常不超過兩個子女。不過，無論社會趨勢如何，別人作法又是如何；要有多少子女，「自己」最能掌握！

戴蒙的復活島故事和大前研一的M型社會，都發人深省。在性質上，戴蒙的復活島是後見之明，大前研一的M型社會是先見之明。無論如何，對於讀者而言，在領略體會和行為舉止之間——也就是在觀眾和演員之間——自己如何取捨，當然是另外一個問題！

越來越窮了，該怎麼辦？

盧淵源　中山大學企業管理系教授

最近有一項調查，兩萬七千一百一十八位社會新鮮人當中，有七成自認月薪應領四萬五千元——一個駭人的數字。事實上，他們的起薪才平均兩萬七，台灣已經出現M型社會出現的徵兆之一了。

讓我擔憂的是，民國八十七年，大學學生人數為四十萬九千人，但教改實施以來，九十四年的大學生人數已增加為九十三萬八千多人，大學學生人數成長了二點二九倍。然而，大學學生雖然數量成長，但失業率卻攀升，民國八十九年大學學歷以上的失業率為百分之二點六七，九十四年大學以上的失業率卻為百分之四點二三，難怪有教授給畢業生的建言是：孝順你的父母，因為你會依賴他很久。

除此之外，台灣有許多現象也顯示出M型社會的端倪：平均薪資負成長，但一片三千元的頂級沙朗牛排、一客一萬元的鮑魚料理，到一坪六十萬的豪宅卻屢屢創出銷售佳績；在我們生活滿布這些為頂級客戶、新富階級打造的商品時，中下階級的可支配所得卻已不如一九九〇年代的水準。

失業率

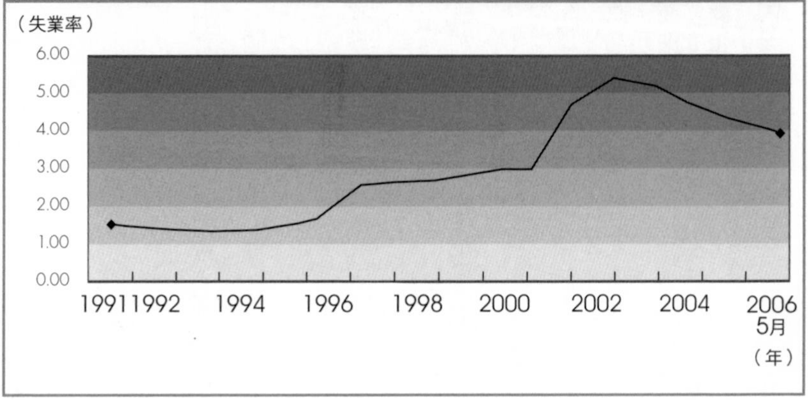

資料來源／行政院主計處

平均每戶可支配所得，第五分位組跟第一分位組比率

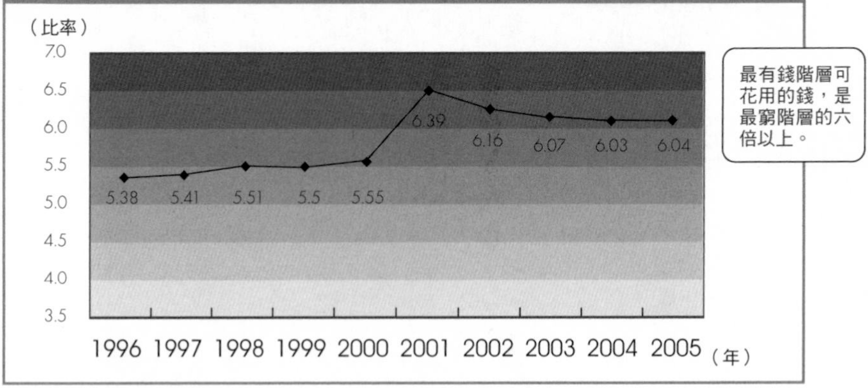

資料來源／行政院主計處

※第五分位組為最高所得組，第一分位組為最低所得組

原本處在社會金字塔中層的社會中堅，在學歷泡沫化、高價化、實質利率負成長、薪資負成長、貧富差距擴大等各種社會問題等等的壓迫下，原本是、以及可望晉身中產階級的一群人，反而愈來愈往貧窮靠近，財富與機會呈現向下流動趨勢，逐漸形成一個M型社會。

新奢華其實不奢華

背負債務的年齡層逐漸降低、豪宅推案卻屢創佳績，應該有經濟基礎的中產階級卻仍無法擺脫無殼蝸牛的命運。面對這種情況，中產階級和企業主應如何因應與面對？

中產階級社會崩潰，所得呈現兩極化的事實，將勢必讓中下階層成為市場的核心，而企業想在這個階層區塊取得利潤，定要大大的調整自己的經營戰略。大前研一在書中提出他的看法：「憧憬自由之丘」。簡單的說，就是提供中下階層的客層「覺得有點勉強，卻想獲得」的商品服務，所謂「新奢華」（New Luxury）的商品。

在「新奢華」的概念下，企業要提供給消費者的，除了低價的誘惑外，更要加上「質感」的概念。此外，大前研一也提出好幾個對策，幫助企業因應M型社會。如要把製程的效率發揮到極限、讓耐久產品有多次生命週期、「高感覺低價格」的成本結構等想法，相當有啟發性。

你家一年能存十八萬嗎？

根據行政院主計處的九十四年報告，將台灣家庭按所得高低分為五等分，去年可支配所得最低的底層存不到錢，還得動用以往的儲蓄或借支度日；次底層家庭平均只存下三萬九千多元；中間一組家庭去年存九萬元；上層家庭存十八萬一千多元；最上層的家庭可存六十五萬多元。所以一年儲蓄能超過十八萬，就晉身上層社會，比起十年前，上層家庭最少都能存二十五萬以上，

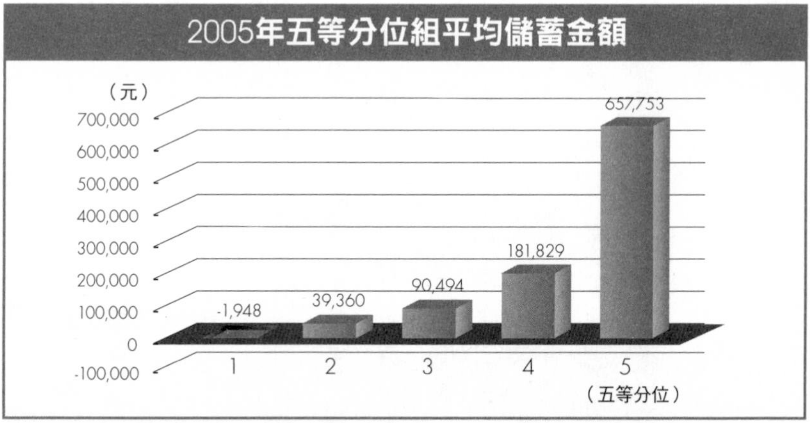

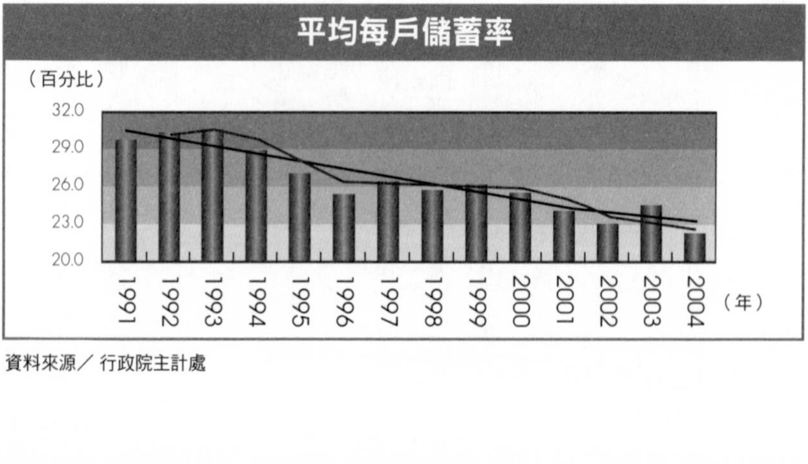

資料來源／行政院主計處

只能說台灣人真的變窮了。這也意味著，台灣已開始進入M型社會了。

長時間以來，我們都活在向大家看齊的中產階級社會價值觀裡，但是，很少有人會去建構屬於自己的人生價值觀。大前研一指出，執著的「購屋信仰」，其實就是人人都認為自己是社會的中堅階層意識下的產物。但是，在依年資加薪、升職的制度崩潰之後，我們當初以加薪、升職為前提而設定的房貸預算，該如何處理？

此外，諸如「買車情結」、「要求小孩唸好大學，才能找好工作，於是付出昂貴補習費」等等觀念，都是在M型社會形成時，我們該重新檢討的事。大前也疾呼，所得兩極化是社會結構產生變化所造成的，但要提升生活的品質，卻不能仰賴社會結構，而要靠每一個生活者改變看法。

因此，重新檢視無謂的支出、重新檢視我們因襲固有的思惟，就會發現有很多迷思是可以破除的，我們其實都是被舊觀念給綁住，跟著眾人走一成不變的中產階級路線。在破除之後，就會發現生活可以更簡單更輕鬆。

減輕負擔之後，你才能喘口氣，讓自己有力氣向上提升。

日本經濟長期衰退經驗的借鏡與啟示

高長 國立東華大學人文社會科學學院院長

日本經濟泡沫破滅後，經歷十幾年的衰退期，進入二〇〇五年，經濟運行的表現漸有起色，令日本各界為之振奮，以為景氣陰霾即將過去，對於經濟復甦則有樂觀的期待。然而大前研一在《M型社會》專著中語重心長的指出，當前日本經濟景氣好轉只是表象，如果大家不深入瞭解過去十多年來經濟衰退問題的本質，並採取有效的因應對策，則經濟復甦可能只是曇花一現。大前研一是一個國際知名的經濟戰略專家，過去曾發表過無數膾炙人口的著作，也曾為台灣發展亞太營運中心計劃貢獻很多智慧。《M型社會》專書討論的內容雖針對日本，但其中精闢的論點亦可供台灣各界借鑑參考。

大前研一在《M型社會》專著中，首先在序章點出日本現在所面臨的本質上的問題。大前批判小泉政府過去五年多來中央集權式的施政作為，無論內政或外交，都只看到「問題的現象」，解決問題的方案大都是「頭痛醫頭，腳痛醫腳」；實施的政策並未切合國民改善生活的需求，「改革」也完全沒有把生活者的需求列入考量，在手法上只是「捕物帳」、「打地鼠」，努力修正看上去不好的地方，結果，改革往往流於口號，對百姓蒼生帶來的實惠不大。

其次，在第一章探討經濟泡沫破滅後日本經濟社會結構之變化。大前指出，近年來日本經濟成長回升，股價開始上揚，景氣看似已有轉機，但是通貨緊縮問題依舊存在，上班族的薪水仍持續縮水，人民生活未見改善。出現這種矛盾現象的主要原因，是社會經濟結構發生質變，使得既往的指標無法反映事實真相。大前認為，自一九八五年開始發展的「新經濟」潮流，涵蓋「實體經濟」、「無國界經濟」、「數位經濟」及「倍數經濟」等四個空間，這四個空間交織互動所產生的現象，對世界各國經濟造成深遠的影響，該期間日本的政治、行政卻未隨機應變，仍然停留在舊社會思維中，把經濟的低迷誤認為是景氣周期的問題，仍然採取傳統的政策工具試圖矯正，結果，大多數的政策只是治標，而未治本，是造成過去十多年來經濟持續衰退的根本原因。

日本經濟經歷長期衰退，已導致社會結構極大的變化，尤其「所得階層兩極化」以及伴隨而至的「中產階級社會的崩潰」，已使日本全社會及國家的結構帶來「質變」。然而，日本國內各界包括個人、企業、甚至政府部門大都未能正確認識結構大環境變化的事實，務實地調整心態，採取適當的因應對策，結果陷入不良循環的境遇。以個人為例，經濟結構改變導致中產階級收入降低，大多數人卻不願意面對現實，仍然被「中產社會意識」拖著走，買屋、購車等無謂的高消費帶來沉重負擔，因而，社會上日常生活覺得煩惱和不安的人口不斷增加。同一期間，不少工商企業忽略了中產階層萎縮、中下階層擴大等結構變化現象，未及時調整經營策略以為因應，則面臨被淘汰的命運。

大前筆下的日本經濟、社會和政治局面，台灣似乎也有相同的處境。具體來說，面對全球化潮流的衝擊，台灣經濟在一九九〇年代期間雖曾有過不錯的表現，甚至亞洲金融風暴帶來的傷害也相對的小。但是，從整體趨勢看來，一九九五至二〇〇五年期間之經濟成長率已由六點四％降至四點一％，同期間，社會上失業率逐年上升，由一點七九％增加到四點一三％，所得分配不均度惡化。以吉尼係數衡量的所得分配不均程度由一九八五年的零點二九零增加為二〇〇五年的零點三四，同期間以五分位數指標衡量則由四點三六倍提高為六點零三倍。所得落入中下階層的人口增加，因生活焦慮、不安而衍生的社會不幸事件愈來愈多。可以說，台灣的社會、經濟在最近幾年來也發生了「質變」。不過，台灣的消費者似乎也同日本人一樣，不願意改變心態，被「中產階級意識」拖著走，卡奴現象可為佐證；工商企業則未體認市場環境已變的現實，常以本地市場腹地過小為藉口，急著外移尋覓所謂第二春，消極因應；執政者由於投注在政治活動的精力過多，排擠對經濟工作之投入，欠缺有效的政策，致「拼經濟」成效不彰。

《M型社會》一書的重點，其實是在提醒社會大眾，企業乃至於政府，日本的社會階層結構已發生巨變，大家必須勇於面對現實，調整心態以為因應。該書第二章提到企業的戰略時，列舉了許多個案在過去十多年的經驗，其中有轉型成功的案例，也有調整不夠積極導致業務萎縮的例子。最後歸納提出企業面臨所得階層結構改變，要想立於不敗之地，必須先評估自己的能耐基礎，確定主力客戶層為何？為爭取中下階層市場，企業必須致力於提供「感覺中上階層、價格中下階層」的財貨或勞務，或徹底走低價格路線；針對高所得階層市場，企業必須評估是否有能力走奢華路線，供應高檔商品和服務。另外，行銷、通路等策略也需配合做調整。

面對所得階層結構的變化，需要變革的不是只有企業，每一個個人也必須即刻變革自己的意識，放棄傳統向周遭看齊的中產階級社會價值，建構新型社會下屬於自己的人生價值觀

所得分配，吉尼係數

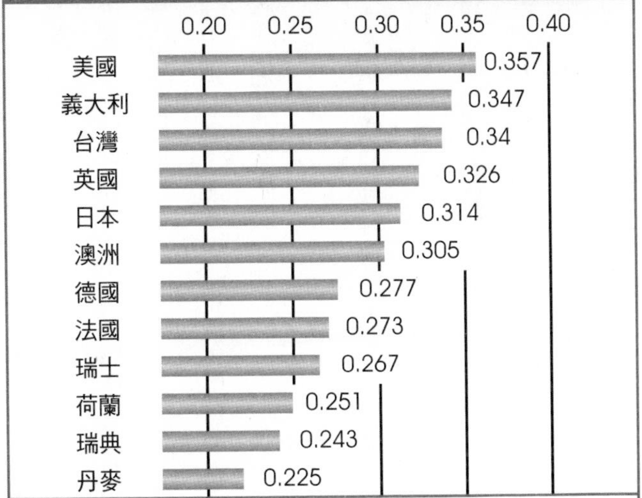

＊0＝所得分配完全均等
1＝所得分配完全不均等
吉尼係數為最高所得組除以最低所得組，係數越大代表分配不均等程度越高，越小代表分配不均等程度越低

資料來源／經濟合作發展組織、行政院主計處

和生活型態，如此才能免於不安和煩惱。大前指出，其實日本人的平均國民所得水準在世界各國中迄目前仍居前列，但由於物價太高，各種保險和不必要的政府規制，使得一般人的生活成本偏高，無法感受到生活是富足的。消費者無意義的「偏見」如品質要求嚴苛，以及政府重重規制和市場封閉是造成高物價的主要原因。因此，大前主張《M型社會》專著第四章，讓中下階層生活過得更好的途徑莫過於開放市場、放鬆管制。

為了提振經濟，使日本成為「生活者大國」，大前建議日本政府應徹底改革，讓「大而無當的政府轉變為小而美的政府」，其重點包括實現真正的「地方自治」，建立道州制，令地方政府擁有某種程度的經濟主權，積極從全球引進財富；改革稅制，採用合乎道州制與高齡社會的簡單化稅制；改革教育體制，培養適應新經濟潮流的人才等。

大前不愧是國際知名的經濟戰略專家，在這本《M型社會》專著中，他不只對日本社會所得階層結構改變的分析透徹，更分別從個人、企業及公部門角度提出解決方案的建議，精闢的見解令人敬佩。想了解日本的人士，這本《M型社會》是值得閱讀的書。近年來台灣經濟社會結構的調整速度加快，所衍生的許多問題與日本的遭遇頗為類似，大前針對日本各界提出的解決方案，對台灣可說是頗具啟發性，值得我們深入研讀與參考借鑑。

台灣、中國，誰怕「M型社會」？

吳惠林 中華經濟研究院研究員

對於著作等身、每小時演講索價五萬美元還有人排隊等著的全球知名趨勢專家大前研一，台灣人民不只不陌生，而且還呈現出正負兩極的看待，尤其當「中國究竟是在崛起，還是正在崩潰」議題在台灣上空兩極交火之際，更是如此。

誰在製造M型社會？

長期而言，任何一個專制體制終究抵擋不了市場力量的衝擊，自由民主、自由經濟社會都會來到，中國也不會例外，可是過程中所支付的代價高低卻有天壤之別，這才是重點所在。關於中國的放權讓利、改革開放，最大的盲點就在中央專制獨裁力量的持續存在，有些觀察家高度贊揚其「高行政效率」，殊不知它所顯露出的「決策錯誤、資源高度浪費，以及不顧絕大部份人民死活」的重大缺失之恐怖。

自一九七八年底迄今近三十年的改革開放，不談中共在戕害人權、拑制人民自由和迫害生命，以及社會貧富懸殊和系統性貧腐的缺失，就是所謂「純經濟成長」，亦即以國民所得指標衡量、但也被高度質疑造假的「高經濟成長率」來說，即便是真的高成長，也是耗用資源，以被有意忽視的極高代價得到的。

為了維持表面亮麗的高成長數據，中共不但掏空大陸本身原本不太豐富的寶貴資源，更以磁吸而來的全球資金高價購買全球資源揮霍，充斥全球的中國製「價低質劣，甚至是黑心產品」以及其國內大興土木的諸多高樓大廈、公共建設等等，極可能就是正掏空全球資源、引發全球氣候異常、水深火熱、天災不斷所換來的。其中的根源就是極權專制共產體制。

管制就是問題根源

很遺憾的是，具宏觀視野的大前研一忽視了中國的關鍵角色，或許他認定再過幾年中共專制就會被全球化夾帶的市場龐大力量沖垮，可是這幾年所將產生的不可估量代價怎麼能不顧及呢？其實，大前研一在這本《M型社會》新作中所剖析的日本中央集權下的現象，正是各國未來的縮影呢！幸運的是，日本早已民主化，但政府的管制政策卻也讓日本陷於深重危機。

關於日本政府管制政策缺失及其引發的不幸後果，大前研一早已一談再談，舉他在二〇〇二年出版的《成功者構思》（Kachigumi No Kosoryoku）一書中〈後記〉裏，就說他在一九八〇年代就發覺日本的情況可能會像今天這麼嚴重，所以曾屢次提出警告和改善方案，但都不受青睞，因而死了心而從事別的事務，自己開學校、創辦企業，不太想在報紙或電視上談論政治和經濟，因為「多說無益」，而且該說的都已在以前的書中說過了。

但是，他發覺最近坊間的言論有似曾相識的感覺。或許就因為有這種「過去言論在現時已開始發揮功效」跡象，且現在已經有些改革人士出現，為了順勢加一把勁，大前研一才願意再接受田原這位資深新聞人的訪談，把「以前說過的話」再一點一滴地重複一次，而已經聽過很多人意見的田原先生，卻看不出聽膩的樣子，這也表示很多讀者一定也有興趣傾聽。

認清M型社會積極適應

既然還有很多人願意聽，大前研一就再一次藉著這本《M型社會》探討當今少子化、高齡化社會、中產階級流向中下階級，以致出現與從前差異極大的不同社會現象時，又將他的一貫看法以另一種方式再提出。中心點還是在「政府角色扮演錯誤，導致當今的結構性問題」。

他認為除非政治改革能像美國一九八〇年初雷根的大刀闊斧開放、鬆綁諸多不必要的管制，讓民間活力充分展現，否則難有快速的改善。在大前研一眼中，當今日本的經濟復甦是依賴中國經濟，不很實在，不過，一般人所擔心憂慮的M型社會，或者貧富懸殊擴大、且中下層擴大的課題，他認為不是問題，即便是中下層，所得相對於其他國家而言仍是高的，只是在以往管制、保護政策下，日本的物價相對高且日本人已被豢養成「唯政府命令聽從」、「具偏見（歧視外國產品）」的所謂「提詞人種」，於是心甘情願過著「愛用高價國貨、房價昂貴」等等清苦生活。

同時大前認為，日本的企業經營者大都不會觀察社會結構的改變，無法從「學院派營生者」（不知權變的乖乖牌）轉為「街頭營生者」（具彈性、韌性、隨時因應環境變遷作靈活調整者）。而個人，大前研一也似乎認為受到過去「終身僱用制」的影響，頭腦身體都僵固，不會思考讓自己的生活更充裕，只會按部就班過著一成不變的生活，於是大前研一急呼並敦促大家要追求生活上「質的變化」。為了達到目標，大前研一認為「教育改革」最為重要，必須將「教」（teach）轉成「學」（learn），其實這也就是「學而時習之」、「做中學」（learning by doing）的概念，亦即沒有標準答案，必須在錯誤中不斷學習改進、養成獨立思考的人格。

無國界的全球化其勢難擋

回過頭來對照台灣的現狀：貧富懸殊擴大、所得分配不均化提高、少子化、高齡化社會等問題也響徹雲霄。但我認為，台灣人民和企業經營者的活力和彈性、韌性有目共睹，迥異於日本，只是政府的自由化、開放鬆綁政策與日本相近，而外匯存底也過多。

就此課題，大前研一的藥方適用嗎？特別是大陸政策的鬆綁。如果全球像是大前研一憧憬的「一制多國」，而此「一制」是「自由民主體制」，則開放政策絕對是最好的靈丹妙藥，但如今中國仍施行專制共產體制，高度經濟成長之下，隱含著深重危機，太依賴彼岸來解決台灣社會的M型化發展，將愈形危險。然而，大陸不可擋的磁吸效果不是區區政府管制可以阻止的，不只台灣如此，對日本也適用，甚至於全球皆同。看來唯一的解決之道是，大家同心協力讓中國政治體制儘速和平地轉成「自由民主制度」！

《前言》

中下階層的衝擊

大前研一

對日本而言，二〇〇六年是決定日本未來二十年是否可以改變的最重要的一年。

絕大多數的人可能都沒發現，因為我們晚了一步搭上一九八五年開始的「新經濟」浪潮，所以一進入九〇年代，經濟即陷入長期衰退。我們到底是要繼續朝著更衰退的道路前進？還是要走向「新的繁榮大道」？

分歧點就在二〇〇六年。

泡沫經濟破滅以來，有好長一段時間，「不景氣」成了大家的口頭禪，進入二〇〇五年之後，這句話才終於被「景氣真的恢復了吧！」等，「看好景氣」的說法所取代。但是這些討論都只限於表面，未深入問題的本質。因為大家都沒有看到在這段期間，日本所發生的重大結構變化。

在新經濟之下，二十世紀既有的經濟模式幾乎都不管用了。最好的證據就是，政府投下大額歲出、持續零利率、增加貨幣供給量做為提昇景氣的對策，可是經濟一點都不見成長。換句話說，當前經濟的低迷，不是不景氣，而是長期衰退；而且常被認為是景氣惡化元凶的「通貨緊縮」（deflation），其實只不過是伴隨經濟無國界化、經濟全球化所產生的「價格正常化」所導致，而非真正的通貨緊縮。

二〇〇五年景氣之所以好轉，分析其原因之後，就會明白大半都和中國相關的特需產業有關，我稱之為「威而剛景氣」（Viagra）。而企業營收的成長更是不折不扣的裁員效果。

在這段期間日本所發生的變化，其本質其實是所得階層已經在經濟長期衰退中兩極化，讓原本的中產階級社會轉移為「M字型的社會」了。也就是說，人口分布已經在中低所得層及高所得層，各出現一個擁有高峰的階層社會。這個結果伴隨著九〇年代後半開始的所得減少，讓我們所知的「中產階級社會」（原文為總中流社會，即生活屬於中等程度的國民占人口的絕大多數）崩潰了。年收入在六百萬日元以下的中下階層（Lower Middle Class），已經占了日本總人口的八成（編按：日本上班族一般起薪是三十萬日幣，而平均物價將近台灣三倍）。

這種結構上的變化，對我們來說具有重大的意義。

戰後，日本在高度成長中，往建構中產階級社會之路邁進。一個人踏入公司，起薪的薪水雖然不高，但是公司會定期給予昇遷及加給，一路走下去，就可以在中上階層（Upper Middle Class）迎接退休。在好長的一段歲月裡，這種型態的職場生命週期對我們來說是「合情合理的常識」。當然，企業的市場戰略也全都以中產階級為目標，配全大家的職場生命周期而展開。但是當這種「合情合理的常識」崩毀之後，許多人開始感受到「做得不好，或許會在中下階層終其一生」。所以景氣復甦但未發光發熱，實非偶然。

這種意識上的變化，不但衝擊到企業的市場戰略、個人的生活，甚至對一個國家的應有的理想狀態也影響深遠。

例如，中下階級的增多對市場所造成的影響，從零售業的盛衰，便可一目瞭然。為了因應結構變化，企業被迫從根本重新思考戰略。個人也是如此，處在年收入持續減少的時代裡，如果無法完全捨棄對中產階級的「常識」（無法拋開對中產階級的執著認知），生活將會格外艱苦。

其中被要求做最大變革的，就是政府所應該採行的政策。國家之所以會陷入長期衰退，最大的原因是政府弄錯了因應策略。政府眼裡只認識舊型態的經濟，把不具實際效用的財政支出當成了提昇景氣的對策。結果，合計中央與地方的債務、財政融資資金等等，政府發行了超過一千兆日元的公債。

而且高齡化也讓社會負擔激增，讓日本不得不把舵轉向「高負擔社會」。這是二〇〇五年到二〇〇六年的情形。

此外，在少子高齡化的趨勢之下，二〇〇五年日本的出生人口及死亡人數雙雙下滑，讓日本邁進了世界史上前所未見的真正人口銳減社會（按：二〇〇五年台灣的生育率為一．二人，比日本一．三人更低）。

本書首先在序章點出日本現在所面臨的本質上的問題，然後整理中下階層社會會思考的各種觀點。第1章俯瞰日本的結構變化，第2章以後，即依企業、個人、政府之順序，提出針對此一結構變化該如何因應及因應的具體方法。

針對企業，我以「憧憬自由之丘」為關鍵字，提示大家要以中下階層時代的市場戰略為重心。

至於個人，則應捨棄對總中產階級生活的幻想，即使處在中下階層也應該思考如何讓自己的生活更充裕。另外，我還會闡述職場生命周期的經營管理，敦促大家追求生活上「質的變化」。

此外，針對政府應該採取的政策，我會指出更具體的改革方向，讓日本擺脫長期的衰退，建構「新的繁榮」。如果站在以往的價值基準延長線上思考我所提出的種種，或許大家會認為這些改革是不可能的。但是為了使經濟繁榮，讓國家步上「生活者的泱泱大國」之道，這些全是必須執行的改革。

在我們被歸類在中下階層者的收入，以世界基準來評斷的話，還算得上中上階層，但是這個階層的收入卻無法讓大多數的日本人過得富足。所以我在本書所提出的變革，就是為充實中下階層以下之人的生活，而引爆的「質的變化」。

如果我們無法完成我所提出的「質的變化」，就無法在少子高齡化趨勢及高負擔社會雙雙報到之後擺脫長期衰退，至少在今後的二十年裡還會持續衰落吧！我們能否以「生活者的泱泱大國」踏入「新的繁榮」之路，現在是最後的機會了。

〔序章〕

面對現實，看清未來

老是政治戲碼，改革呢？

在進入本文之前，我想先以日本為例，談談現在所發生的現象及隱藏在現象裡的本質。因為此一本質就是本書內容的重點。

小泉改革是一齣宏偉、壯觀的政治戲劇，但是一般百姓，包括消費者、就業者在觀賞這齣戲時，卻越看越掃興，理由何在？因為天才政治家小泉首相所演的，只不過就是「捕物帳」（二流偵探劇）[1]。誠如「小泉劇場」[2]這個名詞，小泉首相以戲劇方式呈現他的政治手法非常有趣。因為不管怎麼說，舞台上所演出的戲碼，就是最受大眾歡迎的基本戲碼——勸善懲惡。

如果道路公團（政府經營的公用事業）不好，就懲罰道路公團[3]；橋本派的人馬想玩金權政治[4]，就在各重鎮埋設地雷，讓他們踩個痛快。郵政儲金的金流流向不正，就拜託國定忠志[5]，打造一條能讓金錢「正正當當」流通的路線。如果舞台上所上演的改革劇滯礙難行，就送出刺客（具有高知名度、或專業知識背景的人士）加以制裁，並塑造了比歷史上赤穗四十七位義士[6]陣容更龐大的八十三位、被稱為「小泉之子」的「騎士」（新科議員）[7]。目前則致力根絕「族議員」（為利益團體關說立法的議員）[8]，並且裁撤政府體系下的金融機關，據說已經剷除了百分之五曾大撈一筆的官員了。

能讓這一連串「事業」都成功進展的小泉首相，果然不同凡響，他的政治手腕真的無人能出其右。此外，堅持參拜靖國神社的「信念」，也是日本在外交上，從未有過的做法。如果再這樣堅持下去，恐怕會陷入讓中國、韓國等國家再次認識歷史的局面吧！日本自無條件投降之後，戰後都一貫採道歉外交，所以小泉首相這麼做，可說是劃時代的大事。我個人也反對參拜靖國神社，以避免激怒中國、韓國；不過我也能夠理解小泉流的政治操作，其實亦是符合日本主張的一種做法。

但是這畢竟只是小說式的解決之道，而不是能夠真正解決已出現偏頗的外交方案。因為不論是外交或內政，小泉首相的做法的問題點，都在於只看到了「有問題的現象」，所以小泉內閣所採行的治療方法只不過是「頭痛醫頭，腳痛醫腳」。

不堪一擊的拼經濟

一般來說，看起來不對勁的問題，都有其原因；再深入其中，原因中還有真正的原因。那麼日本大多數問題的真正原因又是什麼呢？我們順著問題追溯探索，就會發現源頭竟然是自江戶時代（一六〇三～一八六七）一直延續下來的中央集權（統治機構）問題，以及明治憲法及昭和憲法所衍生的各種問題。

日本在明治維新以後，開始將西歐列強型的統治機構，直接套用於始自江戶時代的國家營運模式之上。二次大戰後，日本將失調、變型的統治機構全部推翻（事實上，大家都深信已全數推翻），以美式憲法重新出發。這麼做的結果，除了造成混亂之外，無法因戰敗而消除的明治時代（一八六七～一九一二）富國強兵思想、江戶時代的國學創意，有時仍會像走馬燈一般，一幕幕又出現在眼前。

戰後，看電視戲劇、漫畫長大的國民，因為無法看透「劇情」背後的思想、意圖，所以在小泉劇場邁入第五個年頭，在早已習以為常的情形下，贊成參拜靖國神社的人超過了百分之五十。

類似這種政治戲碼持續不斷上演，百姓之間長年和這些政治戲碼打交道的結果，當然也就不會動怒要求「還有更重要的問題啊！快點正式上演主戲吧！」事實上，日本最大的問題就在這裡。

大多數的百姓都以為「改革的好戲才正要登場」，但是事實上由五幕戲構成的小泉劇場，已經有四幕已經演完了。正如序幕所預告的，這四幕戲都只輕輕「觸碰」，點到而已。

小泉純一郎明知「這已是正式的演出」，即便戲已經告一段落了，但是就是死也不肯告訴觀眾。因為這會讓身為觀眾的全體國民對著他要求「退錢」！

戲已經接近尾聲，但是我們的生活並沒有因此變得更輕鬆。政府非但沒有培育優秀的人才（因為教育改革還沒有登上舞台），連在序幕中承諾過的財政重整，也都如海市蜃樓一般，虛幻而又遙不可及。就連提高消費稅的政策，都必須落得由主角開口說一句「下幕後回家時記得去繳」才得以善後。

小泉首相所實施的政策，並不切合國民的需求，但是國民才是政治的本質。換句話說，小泉劇場最欠缺的就是，「從國民生活者（指消費者與就業者）的角度思考一切的改革，進而實現國民生活者的夢想」的政治態度。儘管事實就擺在眼前，卻無人疾呼「喂，主要的劇情是不是就是『只要改革，就可以提高生活品質，降低生活成本』啊？」

因為國民也認為「反正這種事也做不到」，所以即使覺得戲碼掃興、冷場，還是十分賞臉地觀賞著「繞道而行」的小泉政治戲碼。但是距離回過頭來怒氣沖沖大罵「根本就是浪費時間」的那一瞬間，應該不遠矣。

「打地鼠」式改革

那麼，我們真的就只是在浪費時間嗎？我並不這麼認為。小泉先生最大的功勞，就是證明了「只要有堅強的信念和意志力，連頑固保守的戰後政治體制也可以破壞」。姑且不論進行的內容如何，這就已經是一大進展了。

有人說小泉純一郎是奇人，有人說小泉純一郎是怪人，不管是奇人也好，是怪人也罷，總之，小泉純一郎就像是為了要打倒持續二百七十年之久的江戶幕府而存在的浪人武士一般，他發揮了他最大的功能。不過，小泉純一郎及其一派人馬所使用的手法，也像浪人們到了新的明治政府時代，就無法產生作用一般，在新日本中沒有登場的機會。不，我認為不可以給他們登場的機會。

理由很簡單，因為不好的制度不管怎麼破壞，都不會自己長出好的東西來。

道路公團民營化之後，只是讓原本腐朽的組織更為專橫跋扈。今天的日本根本不需要道路公團。道路公團只是在沒有高速道路、沒有金錢的時代，為了「藉收費而充實全國高速道路網」而設的有時限的立法組織，因此階段性的任務完成之後，就應該解散，所以把道路公團民營化，本身就是一個錯誤的政策。

關於郵政三事業（郵務、郵政儲金、簡易保險），將郵政儲金及簡易保險廢止之後，讓郵局維持國營或轉由民間經營都可以。總之，就是沒有理由讓三種事業一體全都民營化，首先「民營化是稀鬆平常」的想法就是個最大的錯誤。小泉純一郎也這麼認為，可是當他針對「民營化」進行諮詢的時候，端出民營化案子的委員會卻只是馬馬虎虎敷衍了事。連公務人員的定額刪減，在五年之內也要達到百分之五，因為對民間企業來說，這個數字只是「自然瘦身」。

小泉改革其實就是修正提供者（各政府機構）提供勞務或產品的不合邏輯部分，做法是「修正看得見的地方」，也就是大玩「打地鼠」遊戲，並且在「對活在某個舞台上的不良官吏加以懲罰」的表象之下，上演「勸善懲惡」的戲碼。這種做法和該怎麼做、及什麼是該做的本質論完全扯不上關係。所以才會在有一派人士反對「打地鼠」的情況下，郵政民營化變成了一齣耗資七百七十億日元（總選舉費用）的雄偉大戲。

事實上，現今的日本根本沒有空閒，去為喋喋不休的民營化話題勞民傷財，因為政府的債務排名世界第一，人口高齡化的速度也是世界第一，物價雖稍稍下降，卻也仍然居高不下。我們擁有全世界最多的存款，但是這些熱錢卻不流入市場，原因只有一個，那就是國民生活者不相信政府。

我並不認為這些人都想抱著存款過日子，不過就算他們都想大膽用自己的錢享受人生，但是礙於對未來有一份不安，也只好把錢放著以壯膽，好讓自己有備無患。而我們的政府竟然就把國民這些寶貴的金錢，集中至幾乎零利率的郵政儲金或定期存款裡，然後拼命地濫用這些錢。這種政府真的是可以下台了。

因此，政府當務之急必須做的，不是修正現象，而是修正原因，必須將病因連根拔除。

不是修正現象，而是修正原因

「不是修正現象，而應該修正原因的時刻來臨了！」我第一次說這句話是在二十年前的幾本書裡：《新・富國論》、《平成維新》、《平成維新PART2》、《新・大前研一報告》。在本書中，我則更一步加入了最近所分析的資料，希望全體國民產生共識：必須加速治療我們的政府了；基於這個心願，我卯起精神提筆完成了這本書。就算有人說「大前是個破鼓」，我也不在乎。因為鐵證如山，事實就擺在眼前，政府必須徹頭徹尾大翻修，所以我不能假裝沒看見而睜眼說瞎話。

就算政府玩的是打地鼠的遊戲，小泉先生也已經證明，從來不曾有過的大膽改革是可行的，這就是最新的證據。也就因為如此，小泉先生才得以搭建有國民支持的舞台。既然如此，政府就應該更往前邁一步「寫一齣從生活者觀點出發的劇本」。

日本如果能積極專心致力於建造「生活者主權國家」，「就能提高生活品質，並降低生活成本」，這是我十年來一貫的主張。我想現在的年輕人大概都沒有看過我初期的著作吧！我當時的認知是「如果在二〇〇五年前，日本無法完成一連串的改革，邁入高齡化社會的日本，將陷入無法自行改革的狀況。」進入平成（一九八九年）之後，日本人稱所有的改革為「平成維新」。具體而言就是，不光只是憲法，而是在各方面都製作符合二十一世紀需求的新法律，讓日本成為真正的「生活者主權之國」。

和「生活者主權」相對立的概念是「提供者的思考邏輯」。戰後日本所有的一切都是由提供者的思考邏輯所構成的。因為所有的物質都不足，所以這是時代的需求。農林水產省雖然更名為「農民漁民省」，但是只要能繼續滿足我們的胃就沒事。厚生省（衛生署與社會福利局）走的是醫生的思考邏輯、文部省（教育部）是宣揚教育人員的思考邏輯，只要他們可以提升所提供的服務品質，政府部門也就算盡到了責任。

但是進入八〇年代末期（昭和時期，一九二六～一九八八年）的時候，這些提供者的邏輯很明顯並沒有實際地讓國民感受到生活更充實、更富裕。雖然數字還算亮麗，但是比起先前的國家，國民的生活品質偏低，甚至還停滯在開發中國家的水平上。原因是政府重視公共工程等產業基礎、社會基礎，更甚於國民的生活基礎；也就是說提供者的邏輯行之過度了。就因為我掌握了這些會說話的證據，所以才急切呼籲政府要致力於建造「生活者主權國家」的典範轉移。

別自認是中產階級

開始提倡「重視生活者」，是一九九三年由細川護熙組閣（第七十九任首相，民主黨）的時候。但是這幾個字終究只是政治口號，並沒有看到有人從政策或立法面去真正的落實。

後來到了「失落的十年」，政府呼籲要「恢復景氣」、「處理不良債權」，在犧牲生活者福祉的「產業再生」弘旨下，執政者就魯莽地拼命衝，結果造就了世界最高的公債。

雖說從個人金融部門來看，日本是世界第一大儲蓄國，但是在零利率的政策之下，政府卻自存款戶的戶頭裡拿錢救濟銀行。公共工程少了財源，相關單位就打著「可以慢慢還錢」的幌子，胡亂核發房屋貸款，騙上班族買房子，讓上班族協助政府應付景氣。

結果，上班族的生活呢？土地、房子的價格一滑落，這些手中抱著貸款的中年上班族，即陷入超過實質債務的漩渦裡。銀行公開表示要給予協助，可是卻又提不出解救這些上班族擺脫惡夢的政策。我認為相關單位根本就是把百姓視為任人宰殺的俎上肉。這就是受提供者邏輯僵化的日本現狀。

最近，上班族因為擔心被裁員，任由公司減薪、增加工作時數，倍感艱辛。

靠著鐘點計薪、增加約聘員工、裁員效果，公司的業績的確恢復了，但是生活者應得的報酬減少了。邁入二〇〇五年之後，股價上揚、景氣恢復，但是大多數的生活者，尤其是上班族，卻一點實質的感受都沒有。

錢理所當然都集中在退休者（高齡者）的身上了。據統計，靠退休金生活人的可支配所得[9]，比上班族還要多，因為他們把「退休金的百分之三十都拿去儲蓄」了。

「只要靜靜地做，就會加薪、升遷」是戰後架構日本社會的一大前提，可是這個大前提已經完全崩塌了。現在的上班族必須覺悟，薪水的最高峰，平均是在四十歲左右，過了這個尖峰，即鮮有機會升官或加薪。因此現在我們必須要做的事，就是符合實際狀況的生涯規劃。

就在日本徘徊於低迷中的這段期間，中國、印度等國家已悄悄抬頭，年輕的國家更以低廉工資為武器在後面急起直追。兩相比較之下，非常明顯地日本人的工資之所以未調漲，不是因為不景氣的關係，而是因為一漲就會陷入失業人口增加的惡性循環，這表示我們的經濟結構出了問題。

日本的中位數年齡（在人口結構中，位在最中央位置的人口年齡）為四十三歲，到二〇二五年時，即超過五十歲。我找遍了日本所有的學校，就是找不到一所學校有完整的課程，足以培養未來可以活躍於無國界經濟、數位經濟時代的人才。

看到這種情形，我想應該沒有人會認為日本「再這樣置之不理，仍可以繁榮興盛」吧！更甚而，今天日本如果不把發展力雄厚的國家奉為上賓而努力賺錢的話，恐怕要維持當前的境況都很困難。

看看現在呈現一片欣欣向榮的地區，他們都不是靠自己的金錢來吸引全世界的資金、企業、技術和人才。但是全世界取之不盡的金錢，就是不流入日本。換句話說，日本是靠自己的錢來打造自己的繁榮，導至景氣後退的惡性循環，公共部門只好不斷借錢。

二十一世紀經濟的最大特色，就是從國民國家（Nation State）轉移成地域國家。所以

圖表 6-5 法人稅變成附加價值稅的話

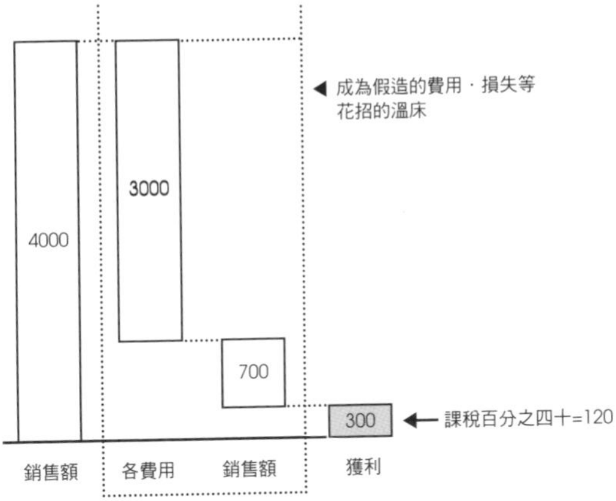

大前所提的「法人稅變更為附加價值稅」的作法

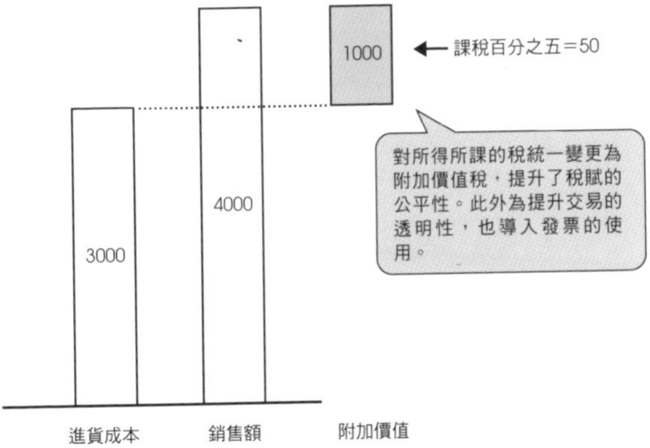

資料來源：大前研一《稅金是什麼》

勘誤表

圖表 3-7 家計負擔中排名前十的項目

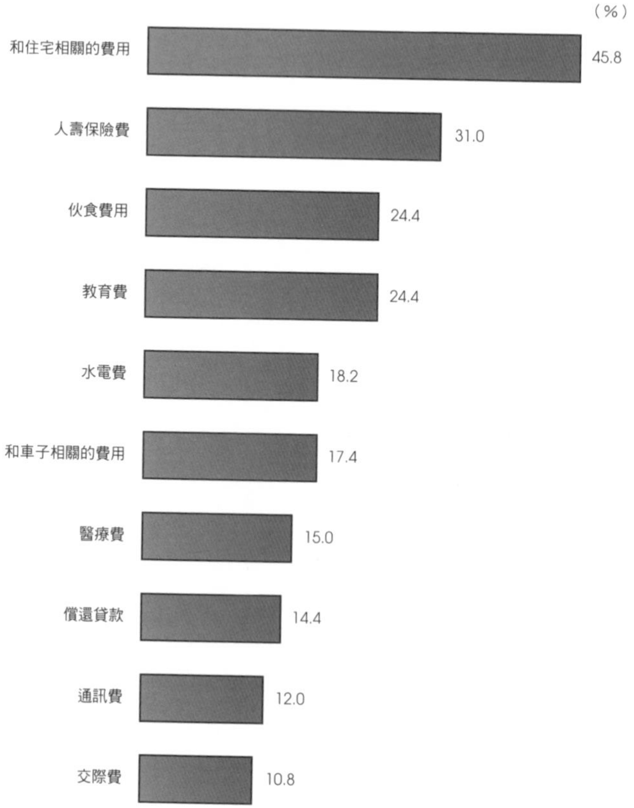

調查對象：五百名丈夫年齡在二十至四十歲、而且是上班薪水族的家庭主婦
資料來源：夏季獎金及舒適生活之問卷調查（日本損保DIY人壽保險公司SONHO JAPAN DIY LIFE INSURANCE）

已經獨立的地域，即和世界各地域進行各種型態的經濟交流以促進繁榮。這是給日本強勢而僵化的中央集權制重大的警告。日本以「打地鼠」的方法，將政府機關中的冗員減掉百分之五，讓政府體系下的金融機構合併為一，還是無法徹底解決日本的問題，所以日本現在迫切需要直接而鄭重地改變統治機構。

因此，我們不僅要為自己做好人生規劃，也要向政府提出改革議題。

從自覺到自救

改革，就是捨棄提供者的思考邏輯，轉而採用以生活者立場為出發點所思考的政治制度。因為主辦者（當權者、執政者）、提供者（政府各部會等）都不會很有良心地交出自己的權限，所以我必須再度提出，自二〇〇〇年起我不斷呼籲的「平成維新」。

從世界的角度來看，日本人的薪水算高；也就是說，在世界其它各國的眼裡，用這種薪水過日子，應該可以過得很富足，如果日本無法實現這一點，是滑天下之大稽。自民黨也呼籲改革，但是改革時卻完全沒有把生活者的需求列入考量，從道路公團、郵政事業的民營化就可顯而易見。小泉改革採用的手法是「捕物帳」、「打地鼠」的方法，拼命修正看上去不好的地方，而遺漏了主體——生活者。而身為在野黨的民主黨，也因為本身內部有自治團體勞動工會等工會問題，而提出含混不清的削減官員議題。

結果，在這些政治家的主導之下，改革只流於吆喝的口號，好處是否真的落入了上班族的口袋則不得而知。所以生活者應該提高分貝，不客氣的要求，住宅、教育、車子、飲食、社會福利等等費用都要徹底降低成本。所以生活者不能把改革的議題全權交給政治家，而必須主動提案，爭取主導。

例如稅金一事，政府表示調稅是為了平衡財政收支，所以只能「增加上班族所要繳的稅」，簡直就是莫名其妙。在所得無法增加的時代，稅制也應該要歸零重新檢視。

這本書是為了百分之八十的中下階層，及生活在金字塔底部的人所寫的；換句話說，這本書是為絕大多數的人而寫的。在本書中，我會告訴中下階層的朋友必須做些什麼，又必須要求些什麼。我建議大家做生涯規劃及重新檢視個人生活習慣的同時，也提出了自統治機構到稅制的重建，及提高生活品質、降低生活成本的具體方法。

我向政府提出的議題，正是我這二十年來的集大成。

1 捕物帳是以江戶時代為舞台，描繪次級偵探活躍情形的小說。

2 小泉劇場的意思是小泉自導自演的政治劇碼。原是反小泉陣營批判小泉時所提出的名詞，但是後來成了小泉支持者肯定小泉政治手法的意思。二〇〇五年，這個名詞還得到了「流行語大賞」。

3 指小泉撤換道路公團總裁藤井治芳一事。事件始於小泉純一郎當選後進行內閣改組，二〇〇三年九月二十二日新上任的國土交通大臣石原伸晃（石原慎太郎之子）決定更換藤井總裁的職務，並獲得小泉首相的支持。石原國交相更換藤井的理由是今年五月道路公團的偽造財務報表，因為道路公團隱瞞自身的赤字，而在財務報表上做假帳，讓公團看起來是有盈餘的狀態。因而認定藤井不適任。但藤井治芳公然違逆直屬上司國土交通大臣的「辭職命令」，在日本官僚中也是無前例可循的。總裁藤井寧可選擇被「解任」而非「辭任」（解任是開除，不像辭任還有高額的退職金可以拿），並與小泉內閣的撤換方針周旋到底。

4 日本前首相橋本龍太郎因隱瞞日本牙科醫師聯盟約九十萬美元政治捐款所涉及的金錢醜聞，被迫辭去派閥頭領職務、脫離派閥，並被東京地方裁判所（法院）控告橋本違反政治資金規定法，追究其刑事責任。

5 國定忠治：一八一〇～一八五一。江戶後期的俠客。

6 一七〇三年一月三十日夜裡，四十七位赤穗浪人襲擊江戶本所松阪町吉良上野介義央的宅邸，為主君淺野內匠頭長矩報仇。這些人又稱赤穗義士。

7 自民黨在九月大選獲得壓倒性的勝利，產生八十三位新科議員。這批議員親小泉的色彩相當濃厚。

8 族議員（Diet cliques）是指精通特定政策領域，並擁有對該領域的影響力，是扮演各省廳後援團與利益辯護者角色的議員。他們不僅僅是政策通或通曉特定行政領域而已，而是為追求特定利益團體與省廳個別利益而發揮政治力的政治人物。族議員是因為自民黨長期政權而產生的黨內政策專家與通曉個別利益的議員，他們常常影響立法、控制預算、制定政策。

9 可支配所得（disposable income）是家庭收入中扣除稅金、退休金等非消費支出所剩之餘額，也就是可以實際消費的金額。

〔第一章〕

M型社會來了

景氣會騙人

「舊模式」的經濟理論不管用

雖說社會結構已經產生了戲劇上的變化，但是置身變化漩渦中的大多數人，卻完全沒有發現此一變化之大。我們現在就是處在這種狀況之下。

當結構產生變化的時候，既往指標無法說明的現象會一個接一個浮出檯面。以日本經濟狀況的其中一個現象為例，在「中國特需」[1]產業的支撐下，日本的GDP往上成長、股價開始上揚，景氣看起來好像是好轉了，但是通貨緊縮的情形並未明顯解除，上班族的薪水也持續縮水，大家的生活未見充裕，反而更為艱苦。

為什麼會有這種矛盾的現象？為什麼大家感覺得到，卻又說不出個所以然來？原因究竟何在？簡單來說，就是之前我們常掛在嘴邊談論的經濟、社會「常識」，在現今的社會已經開始不管用了。

例如，絕大多數的人都把經濟低迷的情況，認為是「不景氣」。但是事實上真的是這樣嗎？

不景氣的概念來自景氣循環說。景氣循環樣貌多變，以各種形態呈現。例如，和庫存投資活動周期重疊的短期循環（Kitchen Cycles，又稱庫存循環）、和設備投資周期重疊的中期循環（Juglar Cycles）、和技術革新周期重疊的長期循環（Kondratieff Cycles）等等。簡單來說，景氣循環說就是一種「好景氣和壞景氣相互循環」的理論。因此一般人都會認為現在不景氣，只要熬過去就會有好景氣。所以藉著貨幣供給量的調整、利息的調整等等政策，就可以提早擺脫不景氣的時段，這種看法成了一般的常識。

現在的經濟也是根據此一景氣循環說，而認為是「泡沫經濟破滅後，進入不景氣」。但是事實上，政府努力持續零利率、增加貨幣供給量，讓金流嘩啦嘩啦流動之後，經濟依然一點都沒有好轉。從這個結果所導出的結論就是：「現今經濟低迷的狀況，根本和景氣問題毫無關係」。

另外還有一點我們必須提出質疑的就是「通貨緊縮和景氣的問題」。根據《經濟用語辭典》的解釋，通貨緊縮是在「廣泛的供給狀態下」，因供過於求，而造成物價滑落、企業營收短少，而造成經濟蕭條。在金流方面，則是貨幣量少於物品流通量的狀態。

現在的情形是，錢嘩啦啦地響，貨卻不流通。現在是經濟體系不吸收金錢的時代了。理有由三：第一、視貨物為非必要品的高齡人口增加（人口分布的變化）；第二、既有的生產方式轉成庫存非必要的及時生產方式（法人部分的變化）；第三、因為對未來感到不安，認為掌握金錢比擁有物質更重要的消費者心理作祟（個人部分的變化）。易言之，不以經濟學為前提的狀況，而以這三種相互重疊的現象，發生在現在的社會了。

再擴大以世界性的經濟動向來看，也會明白二十世紀的經濟學「常識」，已經完全不適用於二十一世紀的經濟。

二〇〇一年我在美國出版的《新・資本論》，即明確指出是無國界化、全球化、倍數化等三個新的要素在操縱經濟。現在日本面臨的問題，就是因為這種經濟作用所產生的。

現在所發生的通貨緊縮現象，就是受第一個新因素——經濟無國界——影響所造成的。經濟無國界化之後，金流、物流可以很簡單越過國境而來。易言之，來自全世界價廉物美的物品就會流入原本產品價格很高的地方。所以從歷史的觀點來看，我們現在所說的「通貨緊縮」，事實上並不是真正的通貨緊縮，而只是「物價正常化的過程」。

如果要更進一步加以注釋的話，現在消費者物價指數（CPI）的計算依據也有問題。消費者物價指數是根據「購買同等級產品時的價格（與居民生活有關的產品及勞務價格統計出來的物價）」來計算的，但是數位化、高科技化卻很容易變成拉低物價指數的壓力。例如原本三十萬畫素的數位相機，進步到五百萬畫素，價格卻只有原來的一半時，指數根基即會大幅鬆動。因此從物價指數來看的話，數位化也是造成通貨緊縮的要因之一。

所以究其本質，日本價格滑落的現象並不是通貨緊縮。國務大臣竹中平藏先生、美國的經濟學者保羅・克魯曼（Paul Krugman）認為這就是「通貨緊縮」，所以提出「等待景氣恢復」、「應用通貨膨脹目標（inflation target），把價格基準帶入『合理範圍』」。如果他們了解這其實只是經濟無國界化及數位化所形成的「價格正常化的過程」，他們就應該知道不管怎麼等待景氣復甦，都無法阻止價格滑落的趨勢，同時也明白通貨膨脹目標論等等根本是無稽之談。

因為通貨膨脹目標只會把朝著合理價格流動的潮流帶往一個正好相反的方向，如果不踩剎車，將會引發超級猛烈的通貨膨脹而不可收拾，屆時經濟將陷入一片混亂。

另外一個本質上的問題是，現在手上握有鈔票的人大都是高齡者。在少子高齡化的社會裡，不管提供多少貨幣，都不會被經濟體系所吸收。如果政府不提出大幅改變現在的建築基準法、稅制，以廉價重建無障礙住宅等等完善的配套政策，高齡者的儲蓄將不會流入市場。之前政府的「景氣對策」，就是因為遺漏了此一本質，所以把錢投入市場，卻見不到任何效果。

景氣還在「長期衰退」

由針對家計和景氣所做的問卷調查結果來看，從二十歲到四十九歲的上班族認為「可以感受到景氣不佳的原因」中，排名第一的是「沒有調漲薪水」（圖表1－1）。但是認為「因為景氣不佳，所以未調薪」、「如果景氣轉好了，即使悶不吭聲也會加薪」的想法，根本就是錯誤的判斷。現在全世界裡，還抱著在年功序列（按照年資、貢獻決定職位的制度）的羽翼下，就算沒什麼成就也會加薪的幻想；或者將薪水不調漲的原因完全推給景氣，抱持「他力本願」（佛教用語，凡事靠外力，只想坐享其成）想法的，恐怕只有日本人了吧！

現在社會的經濟狀況，絕對不是不景氣造成的。就因為未發現此一事實，上班族把薪水沒有調漲歸咎於景氣，經營者也擺出經營者的架子說：「現在景氣不好，你們就暫時忍耐吧！」於是公司職員就抱著「景氣應該會好轉」的念頭，嘴裡發發牢騷，再回位子靜靜等待。

另外，根據這份調查我們也可以知道，大多數的人都認為低利和不景氣是相關的。尤其是對五十歲以上的人而言，低利是讓他們感覺不景氣的最大原因，這也直截了當顯示了現代人的錯誤理解，認為不景氣才導致降息，這是從前的經濟學理論。現在日本擁有一千

圖表1-1 感覺景氣不佳的原因

二十歲到四十歲的上班族，認為不可能加薪，所以覺得景氣不好。

年齡別
（只列出排名第一和第二的原因）

年齡	第一個原因	第二個原因
二十九歲以下	薪水未調升	因低利政策，利息收入減少
三十歲～三十九歲	薪水未調升	因低利政策，利息收入減少
四十歲～四十九歲	薪水未調升	因低利政策，利息收入減少
五十歲～五十九歲	因低利政策，利息收入減少	薪水未調升
六十歲～六十九歲	因低利政策，利息收入減少	股票股息利不佳

■問卷調查對象：財團法人經濟情報中心的公司意見調查會會員，有效回答為三千六百九十六份。

■資料來源：針對家計和景氣所做的問卷調查（經濟情報中心）〈勞工的生活和生活意識資訊集〉（二〇〇四年版）

四百兆日元的個人金融資產，升息會使景氣變佳。降息只是救濟銀行及一部分企業，這是提供者的邏輯。

只要將利息提高一個百分點，個人部份的收入就可以增加十四兆日元。如果能夠維持一般百分之四至五的利息水平，一年就有五十兆至七十兆日元的熱錢流入市場。這比政府部門所端出的景氣對策有效多了。

經濟之所以會長期徘徊在低迷之中，是不了解經濟結構變化的落伍學者、政治家，以及只知道以個人部份為手段的官僚們所帶來的結果。直到現在還是有政治家企圖牽制銀行，不許銀行調高利息，這就是他們心中沒有人民，而且不瞭解現在經濟的最有力證據。

所以如果人民不採取任何行動，只是一味等待，不但加薪無望，連日子也會越過越苦。理由何在？因為進入九〇年代之後，經濟結構即開始衝進「長期衰退期」。

依據指標來看，會發生時間滯延（Time Lag）的情形，但是經濟所有的指標，從九〇年代初，即持續一直下滑到九〇代中期。慘跌的速度最快的，就是土地和股票。以日本為例，土地價格在一九九一年降到谷底，商業區的價格指數，跌幅為百分之五十，而六大都市圈（東京區、橫濱、名古屋、京都、大阪、神戶）的跌幅更近於百分之八十（圖表1－2）。日經平均股價在一九八九年十二月達到最高峰，收盤價為三萬八千九百一十六日元，

圖表 1-2 商業區地價指數的變化

（各年的3月、1991年3月＝100）

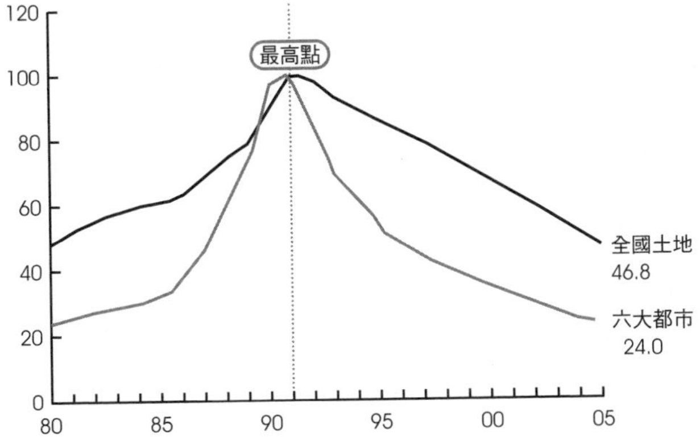

資料來源：日本不動產研究所

圖表 1-3 日經平均股價的長期變化

（以週末收盤價為基礎、日元）

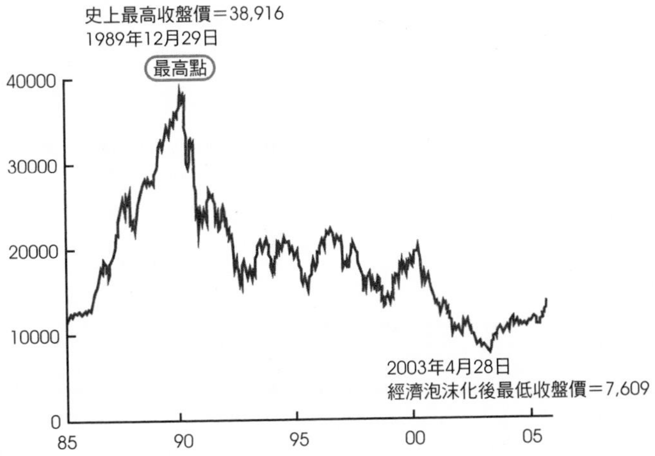

此後即一路下跌，後來即在一萬五千至二萬日元之間震盪徘徊。到了二〇〇三年四月，創下最低收盤價七千六百零八日元，之後，雖然有些上拉回穩，但是水準也不過達到最高收盤價時的百分之四十。

另外還有一點值得注意的是，因股票、土地等投機事業而造成變動的數字，不僅僅只有指標，連薪水、可支配所得等攸關國民生活基本面的一些數字也開始下滑。一九九七年日本的平均工資降到最低點，連同勞工的可支配所得也在一九九七年前後降到谷底。

三百大企業的經常利益（Ordinary Profit）[2]，從二〇〇二年度起連增三年（圖表1－4），因此很多經濟學家及評論家就一派輕鬆認為「日本經濟已經進入上升局面」。但是二〇〇四年度，經常利益超過一千億日元以上的六十家企業中、成長百分比較高的二十家企業，如（圖表1－5）所示，其中有十八家都是在中國特需產業的影響下，才能夠大幅成長。因此增加利潤的是「特需」，而非日本的經濟真的變強了。中國經濟本身有極高的風險度，大家不能期待此一特需產業能夠穩定持續發展。

反過來說，除了中國特需產業之外，能夠增加利潤的企業少之又少，這說明了經濟問題真的很嚴重。經濟評論家、各媒體都認為景氣復甦已經浮上檯面，但是現在真的不是隨這些樂觀語彙起舞的時候。

圖表1-4 大企業的經常利益的變化

(資本額十億日元以上、全產業、單位：兆日元)

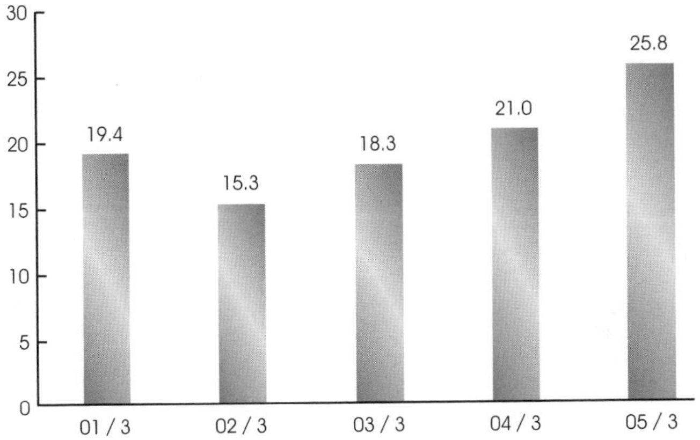

資料來源：法人企業統計（財務省）

圖表1-5 在經常利益超過一千億日元的企業中，較前一年成長百分比較大的二十家公司

(2005年3月、%、金融及電力除外)

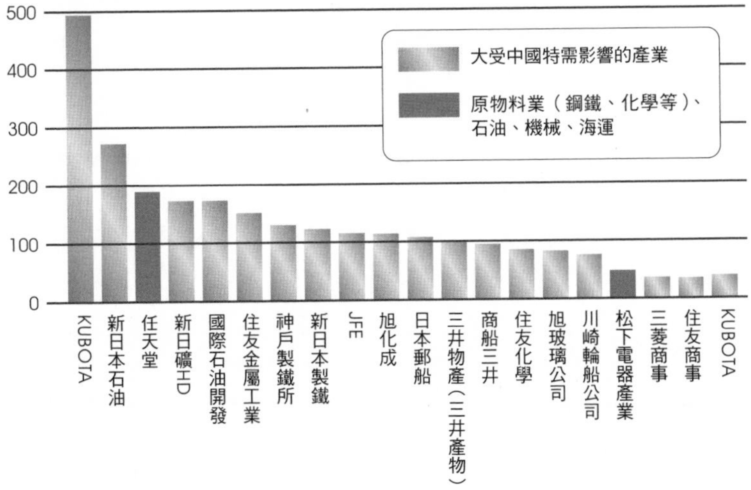

資料來源：摘自上市企業經常利益排行榜，由BBT總研制作。

欠一屁股債的政府

日經平均股價從二〇〇〇年四月起，就在一萬二千日元上下盤旋。到了二〇〇五年八月突破關口（Glass Ceiling），九月因小泉所率領的自民黨在大選中獲得壓倒性的勝利而超過一萬三千日元，十一月更勁揚到一萬五千日元大關。但是今後股價是不是還會持續攀升，則不可預測。

日本股價之所以能夠上升的最大因素，是因為以美國資金為主力，進行國際分散投資的外國投資家們，把資金轉向了日本。他們把世界分成美國、歐洲、亞洲、新興市場（emerging markets，如中歐、中南美洲等新興開發國家）等數個區域，再把資金依比例投入這些地區。例如，美國市場占所有資金的百分之五十、歐洲占百分之二十、亞洲占百分之二十、新興市場占百分之十等。這些投資家們先定了投資資金的分配比例後，再交由各領域的專家進行投資。

其中投入亞洲的資金，由於印尼、菲律賓等國家政局不安，這些投資家迴避東南亞市場，而又因為中國的股票市場有極高的風險，他們才不得不把對亞洲的資金轉向日本。另外，美國人對小泉純一郎首相「改革」的印象非常良好，再加上小泉所屬的自民黨在選舉中表現亮麗，也吸引了美國資金的投入。

但是，如果股價超過了一萬六千日元，這些資金的投資標的就會從儲金、債券轉為股票，屆時國債就有可能暴跌。金錢具有流動性（投資家有強烈追逐利息的取向），這些錢將會逐漸移向國外收益率較高的國家。二〇〇五年有十八兆日元流向國外，就是因為日元貶值的關係。

另外，從中國經濟減速的趨勢來看，支撐日本企業三分之二收入的中國特需是否能夠持續，其實是個相當大的問號。因為日本個人投資家的擴大參與，日本的股票衝破一萬六千日元關卡的可能性並不是零。從結構上來說，很難想像日本的股票能夠超過一萬六千日元的界限。不過，假設真的衝破了這條界限，我們要面對的就是「股價上漲帶動景氣復甦」卻笑不出來的狀況了。

如果股價衝破一萬六千日元關卡，個人投資者應該會把資金從儲蓄轉到股市，如此一來，股價便會一口氣往上揚升。外國投資家就會相準這個時機，大賣股票賺取確定可得的利潤（個人投資者即成了犧牲者）。而這個時機也一定會帶動利息或利率的加碼提升，因為這個時候國債的收益率也必須調升。

對日本而言，最糟糕的劇本就是國債暴跌。把國債、地方債、短期債務、財投債

（P40，為財政投資貸款財源）做個加總，政府在二〇〇四年度的債務餘額超過了一千兆日元（圖表1—6）。因此支撐此一債務的國債一旦暴跌，日本國家財政就會破產。屆時很難說不會發生和阿根廷國債在二〇〇一年底無法償債的相同事件，並引發年率高達四位數字的超嚴重通貨膨脹，迫使日本政府發布金融緊急措施，封鎖存款。

圖表1-6 **政府的債務餘額**

國債、地方債、短期債務及財投債，合計超過了一千兆日元。
（其它還有年金債務約八百兆日元）
（單位：兆日元，2004年度）

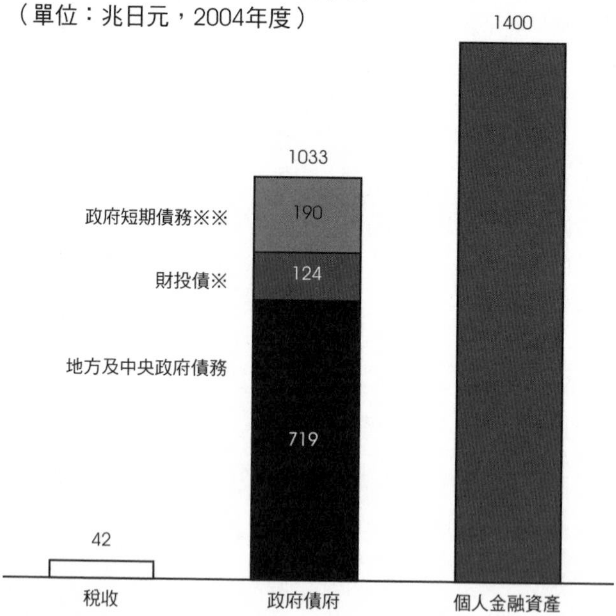

※ 財投債：財政融資資金特別會計，在政府保證下所發行的國債。
※ ※政府短期證券、貼現短期國債、財務省借款、存款保險機構借款。
資料來源：財務省

從日本稅收及歲出的變化來看，稅收自九○年代初即持續減少。二○○五年度，因為中國特需而增加了些許，但是從整體的趨勢來看，日本的稅收可以說是「銳減」（圖表1－7）。

圖表會說話，所有的指標都顯示，日本在一九九○年代就已經進入「長期衰退期」。但是政府卻未認清這個事實，把經濟的低迷誤認

圖表1-7 日本稅收和歲出的變化

為應對政府的歲出，稅收不足的情越來越嚴重。政府增加國債發行量，發行財投債所造成的浪費，不久之後，將以增稅形態，在未來的日子裡成為生活者的一大負擔。

（單位：兆日元）

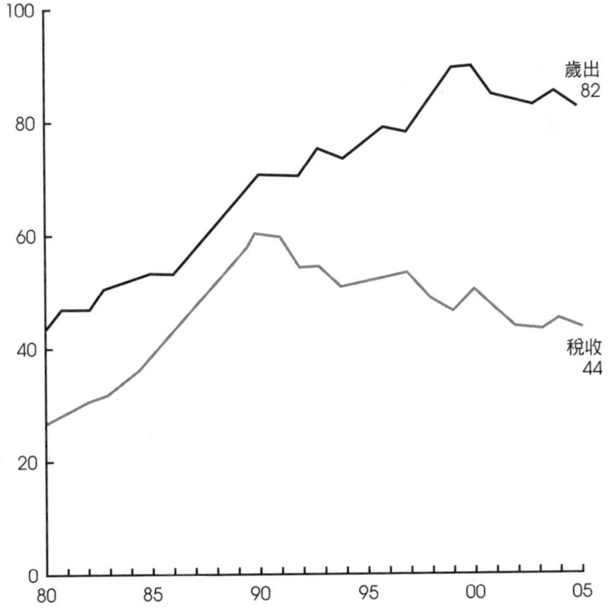

注：至2004年度的決算基礎數值、2005年度初的預算基礎數值
資料來源：財務省

為是泡沫經濟崩毀，是景氣的問題，於是就企圖利用發行公債刺激景氣，為企業紓困，結果造成歲出的擴大。這些龐大的債務，將來都必須由全國人民買單。

在有能力償債的生產人口不斷減少的現狀之下，公部門債台高築，成了經濟不安定的一大要因。這是一種物理現象，所以不是靠船到橋頭自然直的國民心理，或者是期待政府大玩「借換債」3魔術的「心靈現象」就可以壓制的。因此不要再相信「景氣恢復」「不會有問題的」之類的謊言，要正視這個物理現象，承認日本進入「長期衰退」。只有找出衰退的原因，並從根本著手治療，才能夠開闢一條通往繁榮的新興大道。

這是小泉首相「打地鼠」式的國政改革絕對做不到的。

執政者的觀念誤國

經濟陷入長期衰退的根本原因，簡單來說，就如同我在《新・資本論》中所說的，是因為太遲轉換進入一九八五年即開始的「新經濟」跑道了。

這塊看不到的新經濟大陸，涵蓋了四個空間：第一是延續舊世界的「實體經濟」空間；第二是金流、資訊流可以穿越國境自由流通的「無國界經濟」空間；第三是由包含網際網路在內的各種通訊技術所產生的「數位經濟」（Cyber Economic）空間；第四則是以自己資金之百倍、千倍之倍數（multiple）資金流動的「倍數經濟」空間。在這塊看不見的大陸上所發生所有現象，都是由這四個空間所交織的複雜關係所產生的。

進入八〇年代之後，日本的地價狂飆、股價劲揚，接著即面臨泡沫經濟破滅現象，其實這一切全都是「新經濟」作用所產生的。泡沫經濟破滅（事實上這種說法並不正確）後，許多企業都陷入了危機之中，但是大部分的日本企業還是能夠在無國界化、數位化之後，一邊應對呈現倍數化的金錢流動，一邊轉戰世界各地。但是日本的政治、行政卻仍然停留在對舊世界的認識，持續拋出失去準頭的政策。結果中央和地方就共同製造了一千兆日元的債務，並讓年金制度陷入危機。

一九八〇年代後期，我即在《新・富國論》、《平成維新》、《新・大前研一報告》等書中，反覆提出日本應做的改革。在這些書中所提到的願景及具體的創意，現在看起來不但沒有任何褪色的跡象，而且每一項都是迫不及待必須馬上去做的。

如果能夠實現這些願景，日本的經濟就不會陷入長期衰退，人民的生活也將更為富裕。當然日本也就可以步上「生活者大國」的欣欣向榮大道。在世界經濟急遽變化的時候，完全提不出中止長期衰退的對策，並且讓傷口持續擴大，對日本而言無疑就是一大重創。想到這一點，我真的覺得非常遺憾。

儘管如此，我還是認為日本尚有最後的機會。但是要活用這個機會的大前提是，必須先認清這二十年來所發生社會結構變化的本質。

中低階級的時代來到了

八成人口中低收入

進入長期衰退之後，日本的社會結構也產生了極大的變化。一言以蔽之，就是「所得階層兩極化」，以及伴隨而至的「中產階級社會的崩潰」。這些變化更為日本的社會帶來了戲劇性的「質的變化」。

至九〇年代中期，日本每一世代的平均所得都是往上增加，但是從一九九八年起即轉為減少。二〇〇三年每一世代的平均所得更下滑至五百八十萬日元（厚生勞動省在二〇〇四年做的國民生活基礎調查）。這十年裡，每一世代的平均所得減少了百分之十五，也就是八十萬日元。另外，根據國稅局的調查，服務於私人企業上班族的平均薪資，從一九九八年起連續減少七年，二〇〇四年的平均薪資為四百三十八萬八千日元，比前一年少了整整

圖表1-8 服務滿一年的平均薪資變化

（萬日元、年代）

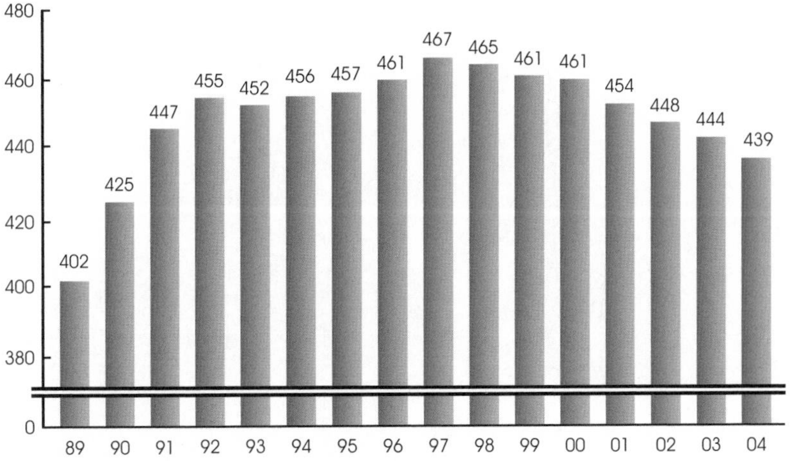

資料來源：民間企業薪資實態統計調查（國稅廳）

圖表1-9 每一世代可分處分所得的變化

（勞動者世代、平均月薪、萬日元）

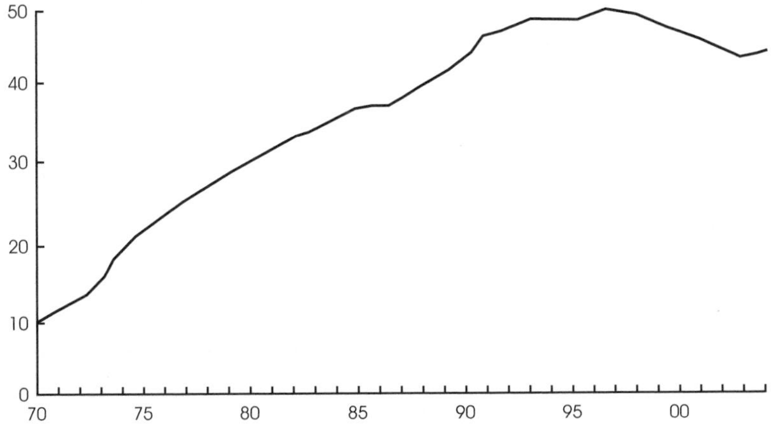

資料來源：家計調查年表（總務省）

五萬一千日元。（圖表1—8、圖表1—9）

下滑的消費者物價雖然稍稍減緩了大家的負擔，不過大家還真的沒有因為薪資減少而引發暴動。這也可以算是教育的一種成果吧！教育讓日本人都擁有一流的「忍功」，但是每一位國民應該都深切地感受到了收入「衰退」，荷包縮水的痛楚了。

話雖如此，不過並不是所有日本人的所得全都往下沈淪。因為平均所得之所減少，是所得階層兩極化所造成的結果。

假設以一世代平均年收入六百萬日元為基準，超過一千萬日元的為上層階級、六百萬至一千萬日元為中上階級、三百萬至六百萬日元為中下階級、三百萬日元以下的為下層階級，那麼日本的中下階級及低層階級人數明顯增加，上層階級也微微增加，但是在中段的中上階級的人數卻大為銳減。

尤其中下階級以下的中低所得層，竟然在所有世代中占了近八成（百分之七十九）的比例，這對一個國家經濟和社會來說，意味著一個非常重大的訊息（圖表1—10）。因為「中低階級的抬頭」，就是讓經濟、社會產生質的變化的最大因素。

上班族年輕時候的收入雖然不多，但是遵循年資，地位和收入都會隨著年齡而上升，最後可望以中上階級迎接退休。這是大部分上班族都默認的共識。但是隨著中產階級社會

圖表 1-10 薪資所得人數的構成比變化

（年度薪資所得階級別%）

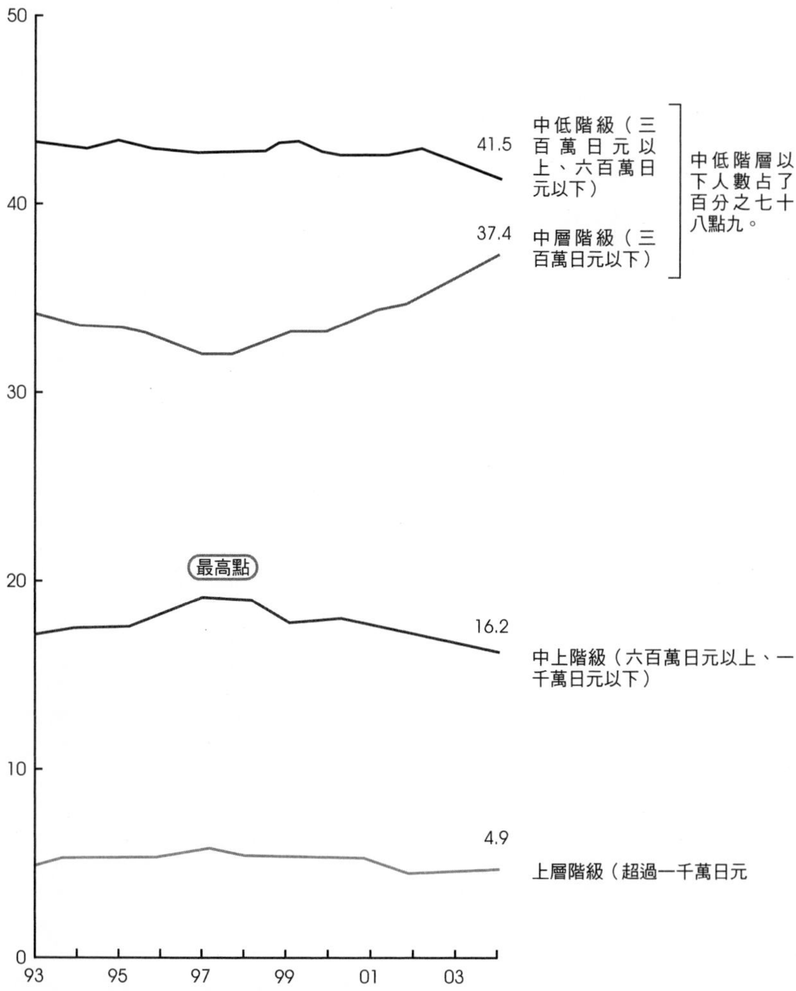

資料來源：民間企業薪資實態統計調查（國稅廳）

的崩潰，上述的人生規劃也隨之瓦解，所以現在大家都已經開始覺得「搞不好，或許自己的一生就在中下階層結束了」。這是二〇〇四到二〇〇五年所發生的現象。根據二〇〇四年度的富翁名次表資料，投資顧問公司的上班族以年收入百億日元名列第一，這表示「無等級差別的社會」已經只個幻想。

這種意識上的變化，為社會結構帶來了質的變化，而且這種情形至少得經過二十多年才會呈現一種固定的形態，所以我們可以說「二〇〇五年是個分界線」，也就是說二〇〇五年，對社會和個人而言，是非常重要的一年。

中產階級社會全面崩潰

隨著所得差距的擴大，所造成的所得階層兩極化，尤其是中低階層的薪資人數占了全體國民的大半，影響到的層面並不是只有個人的生活。當市場產生戲劇性的變化，催促著企業改變戰略、組織重整體系的同時，也為社會及國家的結構帶來極大的變革。

戰後，社會的中堅一直是由中產階級構成。在美國克萊斯勒汽車公司（Chrysle）社長李・艾科卡（Lee Aacocca，本名Lido Anthony Iacocca，1924～）和新進職員收入相差百倍的時代，日本的社長和新進員工的收入差距只有八倍。這種沒有貧富差距的均質性社會，可以說是日本的優勢，也是支撐日本經濟成長的原動力。

員工進入公司後，在終生雇用制度的保障下，一輩子安安穩穩。年輕時雖然薪水不高，得從低層階級或中低階級開始起步，但是往後因定期加薪、升職，最後總是可以升到中高階級，順利的話，甚至可以以上層階級迎接職場生涯的結束。退休之後也有足夠的退休金，安心生活至死……。這種人生模式，深入各個階層，是世人一致的共識。社會的產業結構、社會組織，甚至連教育系也是在這個框架中成形的，所以製造商所販賣的商品、服務也全都是為中產階級而設計、製造的。

但是，即如前面所述，這種情形今後只是幻想了。

從年收入階級別世代人數比例（圖表1—11），我們就可以知道一九九二年是以年收入四百萬日元的中堅世代為中心，而從統計數字上，對「中產階級社會」有一番正確的認識。但是到了二〇〇二年，占大多數的所得階層往左（往所得較低的一方）移，年收入在六百萬日元左右的中間層減少，超過一千二百萬日元的人數反而增加了。這種趨勢在這幾年尤其明顯。

在勞動人口中，占大多數的中產階級崩潰之後，所得階層的分布即往低層階級和上層階級之上下兩極移動，邁向左右兩端高峰、中間低落的「M型社會」。美國在雷根革命（雷

圖表1-11 年收入階級別中的世代比例

和十年前做比較，可以看出中堅世代減少，所得階層往上下兩極移動，呈現兩極化的現象。

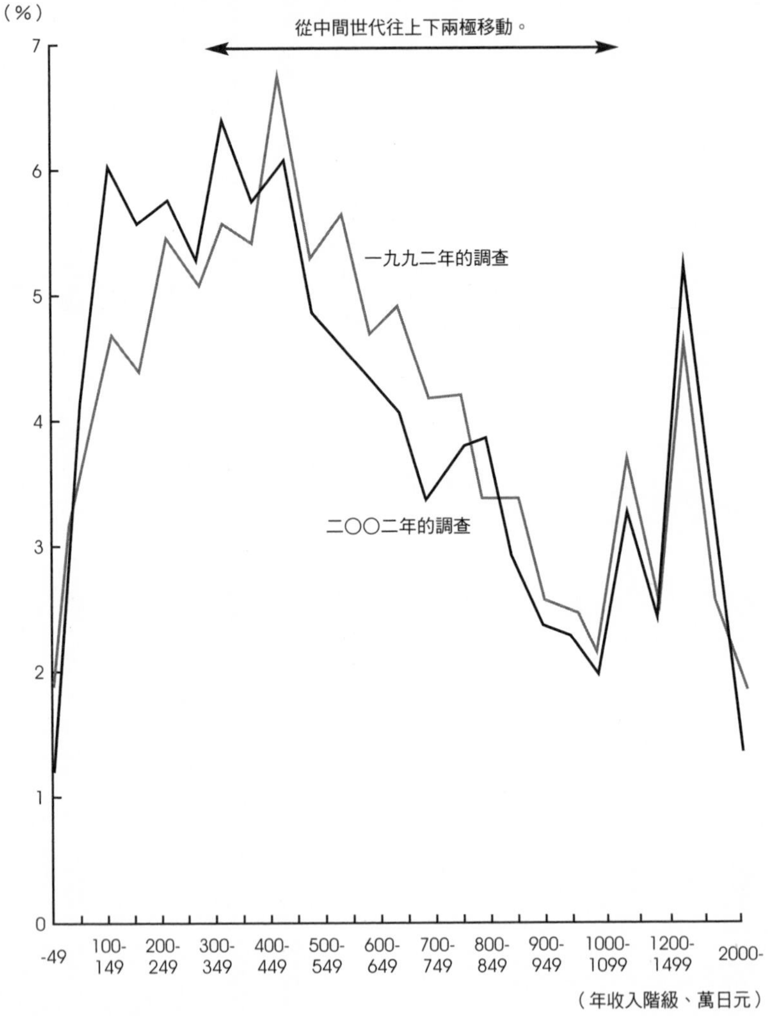

資料出處：厚生勞動省「平成十六年版的勞動經濟分析」
資料來源：厚生勞動省政策擔任參事官室

根革命的名言：「不要再把一切問題的解決都寄望政府。政府正是問題之所在。」）之後，這種趨勢格外顯著，我們在二十年後，也沿襲了這股潮流。

但是大多數人好像還是無法走出過去的夢幻。根據日本內閣府二〇〇四年四月所做的「國民生活世論調查」，所顯示的數字，雖然這個數字比上回的調查稍稍減少了一些，還是有百分之八十九點五的人認為，自己在社會上居於中間階層。

為什麼會有這種自我矛盾的心理？理由只有一個，那就是大部分的日本人仍然滯留在虛構的總中流社會之中，抱持著「希望居中間階層」的願望。

而這種心理則是透過我們的特有教育紮根的，因為現在的教育告訴大家無差別、無等級之分就是好的。再加上我們的大眾傳媒體儼如佈達政府消息的機關，讓全體國民無法接觸正確的資訊，不了解社會的真實模樣及自己的真實處境，以至於無法正視現實。

邁入M型社會的證據

日本邁向M字型社會，所得階層薪資的兩極化情形，即自各個方向湧向這個M字。

●非正式員工增加

其中一個方向就是，因裁員等等原因，讓正式員工減少了。派遣員工、自由業者等非正式員工的增加，所造成的正式員工和非正式員工之間的薪資等級落差，和「所得階層兩極化」有密切的關係。

正式員工在一九九五年左右減至最高峰，伴隨而來的當然就是非正式員工的增加。相對於二〇〇三年三千五百萬的正式員工，非正式員工的人數達到了一千五百萬人。換句話說，日本每三位勞動者之中，就有一位是非正式員工。隨著這種趨勢的增強，到了二〇〇五年的時候，正式員工甚至減至三千三百三十三萬人，而非正式員工則增至一千五百九十一萬人（圖表1－12）。

和正式員工相較，非正式員工的所得較低，其中百分之六十四的契約員工及特約員工的年平均收入更在五萬日元以下（圖表1－13）。由此可見，非正式員工的增加，和所得階層兩極化及中低所得層之擴大有直接的關係。

產業的收入差距

從主要產業的年收入（圖表1－14），也可以看得出來產業之間的所得差距也正急速拉開。在有股票上市企業服務的員工平均年收入是五百六十六萬日元。以業別來看，在大眾傳媒業中，富士電視公司以一千五百二十九萬日元拿到第一，其餘最低的年收入也有八百萬日元，因此服務於傳媒事業的員工，平均年收入是一千二百萬日元。有濃厚反強權、扶

圖表1-12 正式員工和非正式員工人數的變化

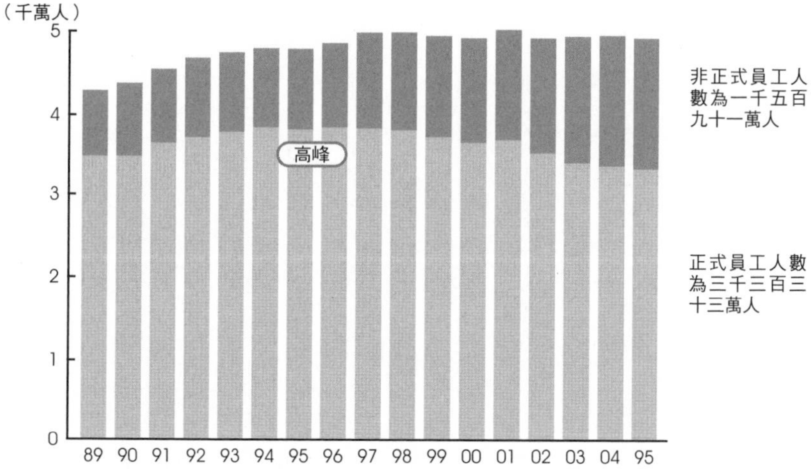

注：二〇〇一年之前，含二〇〇一年，每年各取兩個月的人數數字，二〇〇二年之後，取一至三月的人數數字。
資料來源：「勞動力調查特別調查」「勞動力調查」（總務省統計局）

圖表1-13 正式員工和契約員工、特約員工的平均年收入比較

因為非正式員工的增加，加大了和正式員工的薪資等級差距。

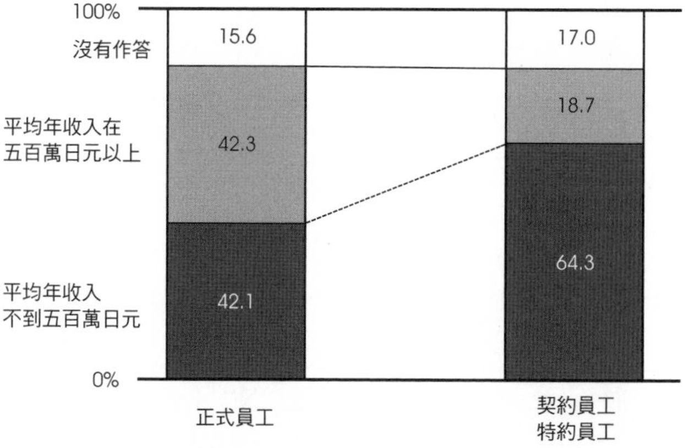

資料來源：平成十六年版（二〇〇四）的勞動經濟白皮書

持弱者色彩，彷彿是「正義騎士」的朝日新聞員工，更是平均年收入達到一千三百三十一萬日元的高收入者。

順便一提，一個服務於電視公司的員工、年約三十五歲、年收入在一千萬日元以上，可是卻整日閒閒無事可做。因為電視公司利用出出入入的業者，把電視節目製作等工作全都轉包外製公司。換句話說，電視公司所扮演的角色是工作仲介者，完全不參與現場的實際工作。因為有錢無事，在飽暖思淫慾的情形下，即藉著金錢和地位打女人的主意。NHK的節目製作人所引發的醜聞就是典型的例子。

金融業的收入雖不比去年，但是千禧控股集團（Millea Holdings）員工的年收入依然超過一千五百萬日元，三井住友控股公司也超過了一千一百萬日元。銀行利用名為公資金的人民稅金活下去，並且受政府超低利政策的保護，所以他們不但不需要支付像樣的利息給存款戶，還可以實收一般人民貸款的利息。甚至他們還做起了二胎貸款的生意，從庶民身上榨取高利。這也就是為什麼他們能夠坐領高薪的原因。總之銀行和公務人員勾結謀取暴利，行徑就如同缺德的高利貸地下錢莊。

只知盤腿坐著等待輕鬆生意的上門，當然也就不具國際競爭力。雖然銀行的業者聲稱要重振銀行的經營，但是一旦失去政府的保護，他們便會在頃刻之間陷入被經濟無國界化

圖表 1-14 主要產業的員工平均年收入

全國平均年收入為五百七十六萬日元
（單位：萬日元）

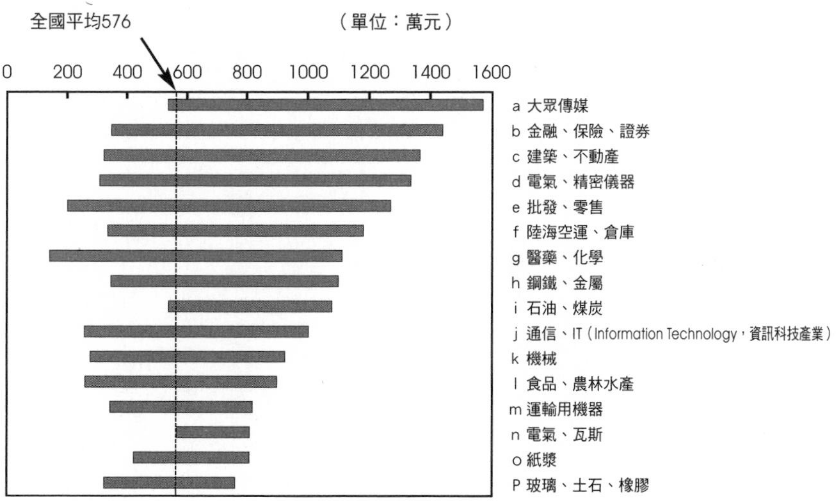

（參考：服務於主要企業中的員工平均年收入）

a	富士電視1,567	每日新聞1,358	電通1,379
b	SPARX Asset Management1,434	三井住友1,106	野村HD1,064
c	三井不動產1,033	竹中工務店914	清水建設891
d	Keyence Japan1,333	新力933	松下電器產業758
e	三菱商事1,277	伊勢丹706	永旺(AEON)554
f	川崎汽船1,174	日本航空959	東海旅客鐵道721
g	武田製藥1,047	花王799	信越化學772
h	ＪＦＥ製鋼1,103	住友金屬670	新日本製鐵651
i	東燃General1,026	Showa Shell(昭和殼牌石油)977C	OSMO OIL867
j	野村總合研究所1,030	日本電信電話858	KDDI836
k	三井海洋開發925	KOMATSU(小松)803	三菱重工730
l	KIRIN（麒麟啤酒）901	AJINOMOTO(味之素)870	NipponHam Group774
m	本田823	豐田汽車816	日產汽車730
n	中部電力820	東北電力815	關西電力786
o	日本製紙812	王子製紙714	三菱製紙678
p	旭硝子(旭玻璃)755	太平洋水泥690	Bridgestone(石橋)660

的海浪吞噬。

所得的差距不只出現在不同的產業，就連在同一產業中，企業之間的薪資差距也越來越大。除了一部分的產業之外，有的產業薪資所得底線只有三百萬日元。所以即使在股票上市公司服務，有的人還是必須面對身為下層階級的殘酷事實。

就算是同期畢業的大學同學，也會因為所選擇的業種及所進入的產業之不同，而在進入公司二十年後，薪水差距至二．五倍。如果連同企業之間薪資的差距也一起列入計算的話，實質所得差距在五倍以上。這種狀況完全顛覆了社會從前的「共識」。

年功序列主義的崩潰

日本的情況是因企業導入成果主義，並廢除終生雇用制度，而讓靠年資升職、加薪的「年功序列」認知崩潰，也是導至所得差距拉大的原因之一。

年輕時雖然是低層或中下階層，但是所得會隨著年齡上升，而以中上階級退休的生涯圖表已經不再適用。我們從年功賃金（日本企業的雇用體系主要有兩個特徵，一是終身雇用制〔長期雇用〕，一是年功賃金制〔按資歷調薪俸〕）曲線的鈍化，解讀到的是如果工作不順利，終其一生都是中下階級的上班族增加了。

之前一般的上班族，預期將來的所得會不斷提高，所以貸款買房子、為小孩規劃教育基金是很普遍的狀況。但是當薪資所得固定在底階層時，手頭不再寬鬆，經濟不再有轉圜的空間，當然就談不上人生的規劃。因此同樣是上班族，一生都在底層打滾的人，和不在此一階層的人，生活品質之間的落差就會越來越大。

平均年收入雖然持續減少，但是在M字型右側的富裕階層，卻越來越有錢。現在日本以科技新貴為首的有錢人一個接一個誕生，年收入在五千萬日元的弧線亦急速擴大。這也是「新經濟」中「倍數經濟」的一大特徵。

從活力門（Livedoor）為了擁有富士電視台，而設計惡意併購「日本放送」（日本廣播電視台，富士電視台的大股東）的事件，我們就可了解，在倍數經濟之下，一個只有地方規模的超市，也有可能握有資產額數千億日元公司的經營權。銷售額不滿五百億日元的樂天，將了營業額超過三千億日元的日本TBS電視台（東京放送）一軍，也是因為在倍數經濟之下，股價收益率呈倍數增加的關係。

以前企業的價值取決於收益、資產等「現在的價值」，但是邁入新經濟時代，也就是邁入「開拓者時代」之後，企業的價值是由可占領多少將來的「地盤」（Territory）而決定。亦就是該企業在新發現的新經濟大陸裡，可擁有多少的「土地」。因此一個企業現在雖然還

圖表1-15 年功賃金曲線的變化

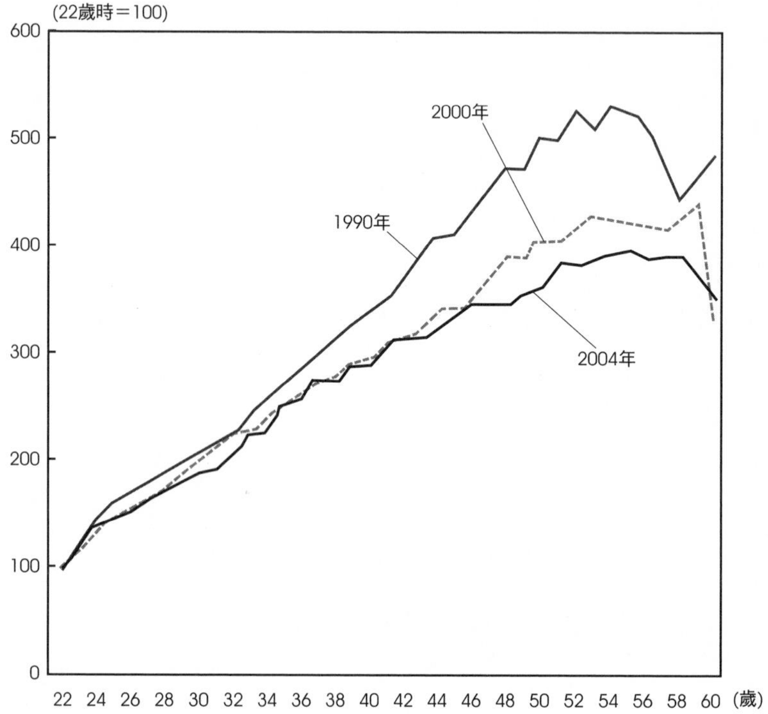

資料出處：厚生勞動省「賃金構造（年薪資所得結構）基本統計調查」
注：賃金（年薪資所得）＝規定內的薪資×１２＋過去一年的獎金

厚生勞動省所製作的這張圖表，是以年齡為橫軸，以年薪資所得為縱軸所畫的。從這一張圖表上，我們就可以了解日本勞動者年所得曲線的變化。在這張依據男性、大學畢業、從業員、產業別、企業規模等條件下的數字所畫的曲線，我們可以看到二十二歲時的所得指數為100的話，一九九〇年的所得指數高峰為530.2，二〇〇四年為385.0，足足減少了三成。
（擷自勞動經濟白書第II部第一節之二）

資料來源：二〇〇五年度版勞動經濟白書

沒有什麼價值，但是只要讓人看到它未來的前瞻性，並預期可孕育的「土地」，資金即會呈倍數轉動，即使目前收益並不大，財源仍會滾滾而來。

例如曾經在麥肯錫顧問公司（Mckinsey & Company）服務過的谷村格先生及永田朋之先生所創的SO-NET M3（利用網路，提供醫療範疇內的豐富資料庫行銷解決方案），短短五年即成長為市值總額達一千二百億的企業。另外，我在麥肯錫時代的同事南場智子小姐，自行創業的DeNA，原是一家營業額只有十數億日元，到了二〇〇四年才終於轉虧為盈的小公司，但是到了二〇〇五年的二月，公司股票已在東證創業市場（東證MOTHERS）上櫃交易。因為DeNA獲得「手機拍賣」這塊「地盤」之後，即召告天下人「這裡是我的土地」然後開始占據市場，即搖身一變成了市值總額達一千二百億日元的企業。因為有太多的人都想「擁有DeNA的股份」，所以金錢就從世界各地湧向DeNA。總之，光是日本就擁有七千萬的手機人口，所以這塊領土是非常遼闊的。

換句話說，**在新經濟裡，企業可以拿「讓人期待的未來」交換金錢的。**

美國從一九八〇年代之後，企業就以幾乎相同的模式，大刮「以小吃大」併購狂風，於是超巨大企業就一個接一個誕生了。思科系統（Cisco System）就是最具代表的例子。果敢進行收購的「快槍俠」企業，就能集到高於自己資金百倍甚至千倍的資金。這種感覺就像占領德州之後開戰，彈藥則陸續從紐約送過來。

只是快槍俠一旦停戰，彈藥（金錢）的補給也立刻停止。二〇〇四年二月，淘兒唱片城（Tower Record）倒閉就是典型的例子。其實淘兒的收益能力及銷售成績還相當不錯，但是蘋果電腦的i.Pod一推出，股東就把臉轉到另一方，對淘兒不理不睬。因此就算還在持續成長的企業，一旦失去了「讓人期待的未來」也會突然死亡。

「新經濟大陸」中，還有許多未開發的土地，所以以ＩＴ企業創業者為首的億萬富翁一個接一個誕生。其實不僅是創業者，連可以配股、分股的一般職員也一樣可以成為億萬富翁。所以在現今的日本經濟結構之下，要擠進富裕階層要比從前容易多了。

我的朋友廣瀨光雄先生（壯生公司的日本代表，Johnson & Johnson）前些時候退休了。本以為退休後可以過過悠閒自在的日子，結果受美國Lone-Star創投公司之託，開始購買已倒閉的高爾夫球場。當他買下九十七座高爾夫球場，開始進行現代化經營之後，這些倒閉的高爾球場即創造了四百五十億日元的年營業額，利潤高達七十億，而且在東證一部上櫃。這個過程真的像極一齣西部片（美國德州別名「孤星之州」）。

此外，現存的企業也因為職員離開公司自行創業，或者被其它的公司以高薪挖角，而不能不升「會做事」的員工薪水。

總之，在M字型左側的低所得階層雖然不斷擴大，但是相對在右側的高所得階層也不斷向右、向高收入的方向移動，今後左右兩側貧富之間的差距將會越來越大。

美國也體驗過「中產階級社會的崩潰」及經濟衰退。

事實上，二次大戰結束後至一九七〇年初，美國所營造的「中產階級社會」形象，就如同電視劇總是以「我的爸爸是世界最棒的」來描繪一個家庭。也就是說在這段時間，美國整個社會的價值觀是平均的。

但是進入七〇年代後，中產階級崩潰，低所得者層增加、平均收入減少的同時，高所得者層的年收入提升，於是M型社會形成了。反觀日本，則是在進入一九七〇年之後，中產階級逐漸形成，平均薪資硬生生一直往上增加。即使所住的房子像兔子籠一樣小，所得差距也微乎其微。

把日美這段時間的變化重疊在一起，就可以畫出「日美平均勞動薪資的變化」（圖表1－16）。日本真的整整落後美國三十年。日本的員工薪資從一九九七年起開始往下滑落。另外，前面的1－9圖表也顯示，日本人的可支配所得也是自一九九七年開始急速減少。

一九八五年，就如同比爾・蓋茲（Bill Gates）導入的Windows Ver.1所象徵的意義一

圖表1-16 日美平均勞動薪資的變化

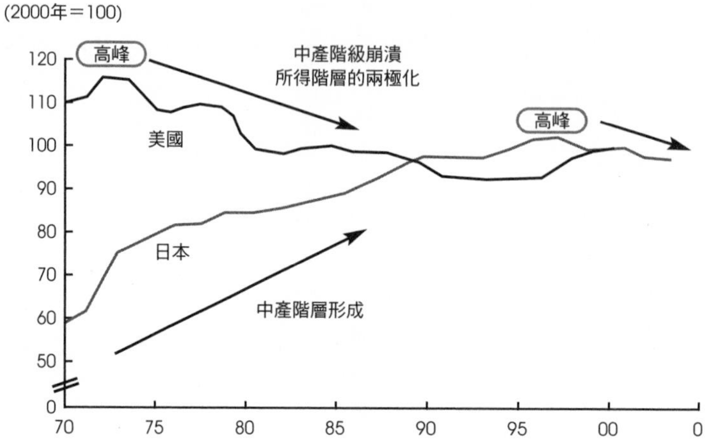

資料來源：厚生勞動省、美國勞動統計局

圖表1-17 日美的失業率變化

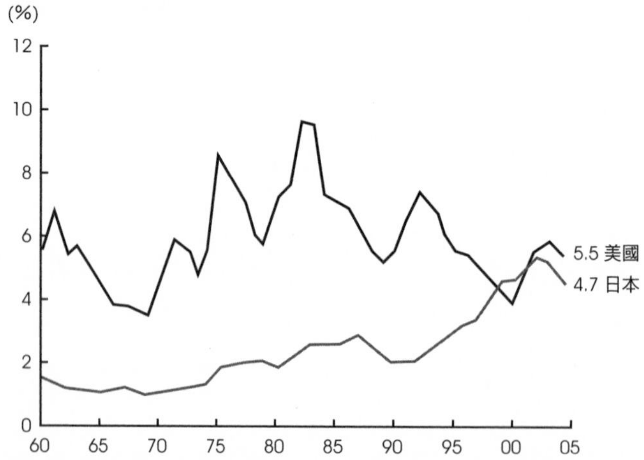

資料來源：總務省的『勞動調查』、美國勞動省統計局

般，美國發現新經濟大陸的企業一個接一個誕生了。也就是說，美國因為早一步發現「新經濟」，所以成功地徹底開放市場，並藉資訊高科技產業有效改變產業結構，讓平均薪資在一九九五年之後開始上升。現在美國的所得差距兩極化的現象依然存在，但是中低階層的收入，已經足夠讓中低階層過著相當富足的生活。美國已經是個生活者大國了。如（圖表1－17）所示，美國的失業率曾經高達接近百分之十，但是二十年後，卻降至和日本幾乎一樣的數字。

日本就好像在美國屁股後面一路追趕，連社會的結構也急速邁入M型社會。美國在中產階級社會崩潰之後，花了二十年的時間，才恢復經濟力，並改善失業率。由這個經驗來看，日本人的收入下降、經濟低迷的情形，最少會再持續二十年。

改革機會只有現在

二〇二五年，社會中堅為五十歲

但是日本現在的狀況，卻比三十年前的美國更為嚴重。因為日本還必須面對史無前例的少子高齡化社會，以及因錯誤財政政策所造成的巨額國家債款。如果政府持續錯誤的財政支出，勢必會讓國民的負擔更為沈重、經濟陷入更長期的衰退，甚至國家會有破產的危險。

總之，受到少子高齡化的影響，我們所要面對的問題比大多數人所想的都還嚴重。

日本的中位數年齡（現在活著的人的年齡中央值）戰後快速往上衝（圖表1－18）一九九〇年，日本即把其它先進國家拋在後頭，成為全世界平均壽命最長的國家。如果照這個趨勢再發展下去，到了二〇二五年，日本的中位數年齡預估會超過五十歲。也就是說，假設全體國民的人數為一百人，讓小嬰孩到高齡者，順著年齡排排坐，坐在正中央的第五十個或第五十一個人的年齡就超過了五十歲。從這個圖我們可以明顯看出，除了日本之外，沒有一個國家的中位數年齡超過五十歲，其中美國更是未滿四十歲。

到比較偏僻的城鎮或鄉村走一趟，會發現幾乎看不到年輕人，有些地方甚至只有老人家進出，不禁令人慨嘆日本是個暮氣沉沉、完全沒有活力的的國家。

日本一旦中位數年齡超過了五十歲，當然也就失去創造新產業的活力，經濟力自然就更加衰退了。

更何況日本的社會從二〇〇五年起就邁入自然人口減少的社會，這個時間比政府預期

圖表1-18 主要進先進國家的中位數年齡的變化及推算

到了二〇二五年，日本是全世界國民中位數年齡唯一超過五十歲的國家。除了平均壽命延長的日本之外，全世界找不到第二個中位數年齡超過五十歲的國家。

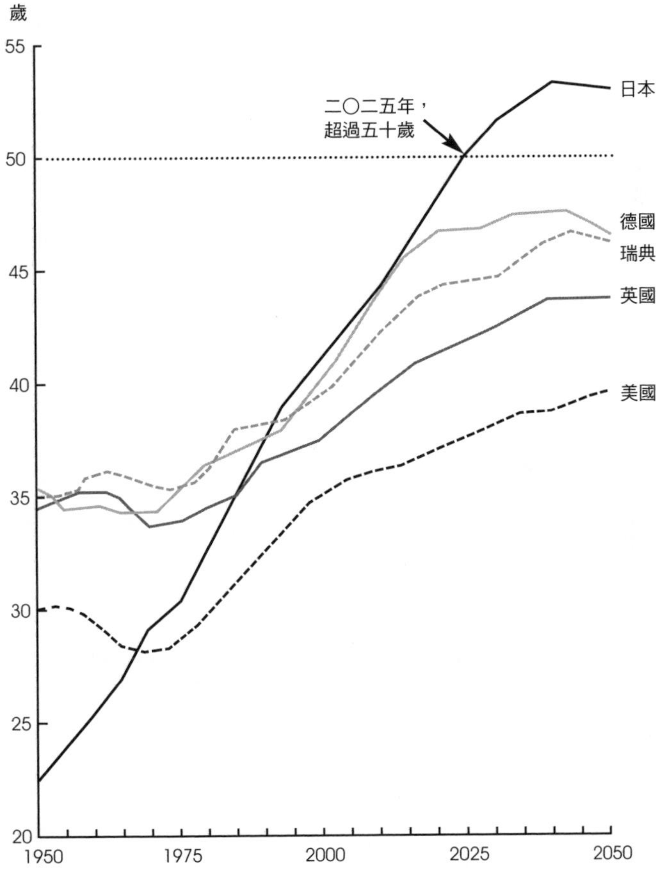

資料來源：World Population prospects：The 2002 Revision（UN）（世界人口願景：2002年修正版 (聯合國相關機構））

的還早了二年。因為日本不僅高年齡者的人數增加了，連總人口數都減少了。易言之，日本已經開始體驗全世界沒有任何一個國家曾經體驗過的社會。

而其中一個問題就是，該如何籌措年金、醫療保險費用等不斷增加的社會保險費用，以照顧、撫養高齡者。二〇〇四年日本的生產年齡人口（十五歲～六十四歲）是八千五百萬人，六十五歲以上的高齡人口是二千五百萬人，換算之後，等於三點四個生產年齡人口，支撐一位高齡者。到了二〇二五年，因少子化的關係，生產年齡人口會減少至七千二百萬人；另一方面高齡人口則會則加一千萬人，總數達三千五百萬人。換句話說，平均每兩個工作人口就必須撫養一位老人（圖表1－19）

此一結果將讓二〇〇四年八十六兆日元的社會保險給付費用，到了二〇二五年即膨脹到兩倍，金額是一百五十三兆日元。預估社會保險給付負擔也會從二〇〇四年度的七十八兆日元倍增至一百五十五兆日元。所以我們必須先有心理準備，今後負擔增加的時代至少會持續二十年（圖表1－20）。

「高負擔時代」的可怕事實

二〇〇五年是政府轉向高負擔路線的一年。理由是，二〇〇四年十月，調高厚生年金

圖表 1-19
高齡者及生產年齡人口的推算

到了二〇二五年，十五歲至六十四歲的工作人口中，平均每兩人就必須扶養一位老人。

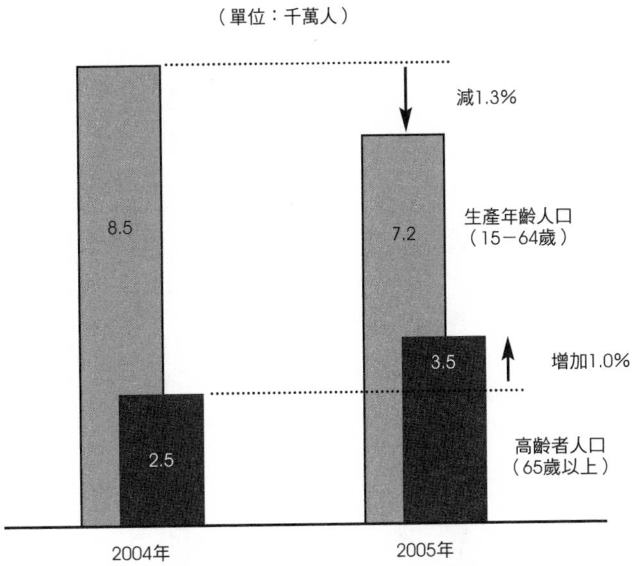

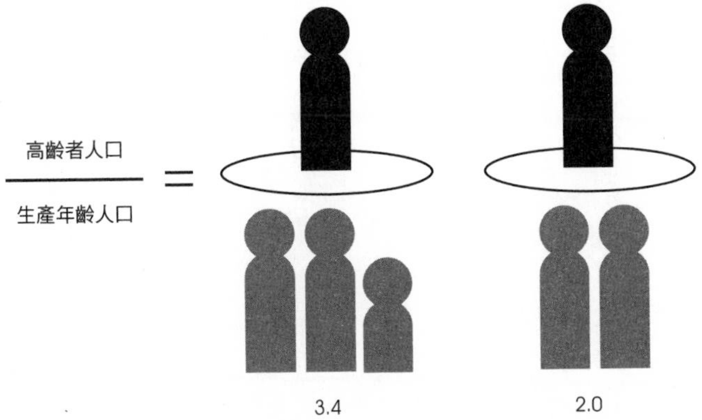

資料來源：國立社會保障及人口問題研究所

保險費率，十二月廢除配偶特別扣除額（追加部分）原則。接著一進入二〇〇五年，又廢除老年扣除額（所得扣除額五十萬日元）、公的年金等六十五歲以上追加部分的扣除額，縮小住宅貸款減稅比率，採納實質增稅政策，四月開始分階段廢除一定比率的減稅（先減一半，預定二〇〇八年度全面廢除，但是有可能二〇〇七年度即列入計算）並調高國民年金的保險費。

此外，政府相關部分也在檢討以二〇〇九年為目標，降低長期照顧保險的保險費徵繳年齡，並預估二〇〇八年度調高消費稅費。

到了那個時候，我們再回頭往後看，一定會稱全體國民為小泉劇場瘋狂的二〇〇五年為「高負擔元年」。

不過，真正高負擔時代的到來，畢竟還是以後的事。現在為了重振借款超過一千兆日元的國家財政，我們必須先設法均衡（國家財政基礎收支Primary Balance,PB）。為此，政府和經濟學者現在都認為必須調高消費稅費。

國家財政基礎收支是指除掉從歲出（一年中的總支出）中支付國債的本利之後，再從歲入（一年中的總收入）中扣除國債發行額所獲得的收支。如果此一收支之間能夠維持均衡，就表示國債發行餘額不會再增加了。這是健全財政的第一步。

圖表1-20 社會保險給付費用及國民負擔的推算

因社會高齡化，社會保險給付及負擔在二十年後都會增加兩倍。極有可能因此爆發世代之間的戰爭。

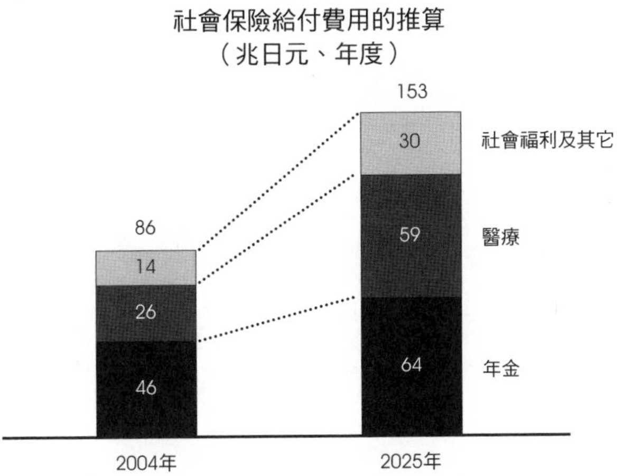

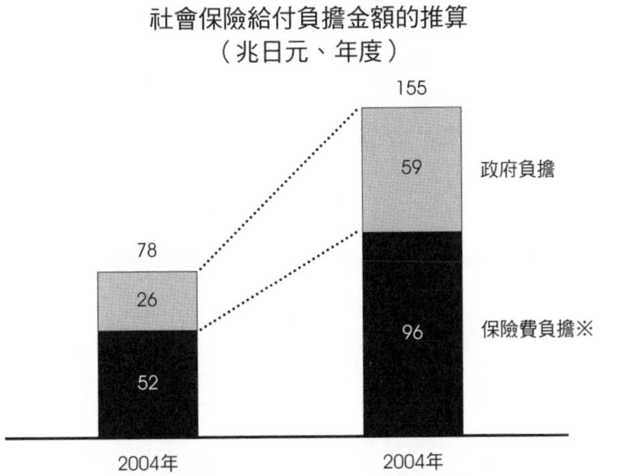

※保險費的負擔＝被保險人負擔＋事業主（雇主）的負擔
資料來源：社會保險的給付及負擔之預測（二〇〇四年五月推算、厚生勞動省）

【註解】
註1：年金：日本的年金制度可分成：（1）國民年金，就是從20歲以上到未滿60歲的國民加入的年金，也稱為基礎年金。（2）厚生年金，是由公司員工加入的福利制度，保險費是由企業和員工各分擔一半。日本政府的說法是：＜國民年金＞＋＜厚生年金＞＝＜公的年金＞（3）企業年金。

圖表1-21 加重家計負擔的主要施策

		施策及實施時候	負擔的內容
稅的負擔	2004年12月	廢除配偶特別扣除額（追加部分）原則	所得扣除額，最多減少38萬日元
稅的負擔	2005年1月	廢除老年扣除額	廢除所得扣除額50萬日元
稅的負擔	2005年1月	廢除公的年金等六十五歲以上追加部分的扣除額	最低保證額140萬日元減至120萬日元
稅的負擔	2005年1月	開始縮小住宅貸款減稅比率	最大稅額扣除額,從500萬日元減至160萬日元（2008年）
稅的負擔	2005年4月	分階段廢除一定比率的減稅	合計所得稅及住民稅,最多可增稅29萬日元
稅的負擔	2008年	保險費的負擔	將現行的5%調高至7%以上？
調高消費稅率	2004年10月	從13.58%調高至18.30%（2017年）	從13.58%調高至18.30%（2017年）
調高消費稅率	2005年4月	調增國民年金保險費	從13,333日元調高至16,900日元(2017年)

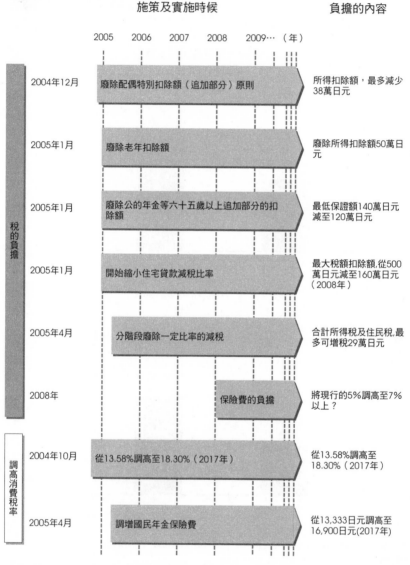

那麼，消費稅到底要提升到百分之多少，財政支出又要削減多少，才能夠讓基本收支（PB）取得均衡呢？如圖表（圖表1－22），假設政府用的是公共投資每年都比前一年減少百分之四，其它歲出也比前一年減少百分之三點五，二〇一二年之前，分階段將消費稅提高到百分之十五的「改革方案」，二〇一〇年，就可讓PB取得均衡。當然，消費稅一提高，就會加重生計負擔，到了二〇一〇年，光是消費稅，政府就可以有七十四兆的稅收，也就是每一個國民平均負擔為六十二萬日元。之後如果繼續維持基本收支的均衡，估計二十年後的消費稅累計入庫為五百六十兆日元，每一個國民的平均負擔是四百七十萬日元。

但是，假設政府為了兌現選舉所開出的支票，而先行改革的話，結果將更為悲慘。如果政府不提高消費稅，又在在二〇一〇年之前，逐年以百分之一點八的比例削減公共投資，二〇一〇年之後的削減的比例為百分之二，而其它歲出部分也以逐年百分之二的比例減少，那麼國家基本開支就只有惡化一途，到了二〇二五年，PB甚至會跌至負三十四。此後想要讓PB恢復均衡是再也不可能的了。

屆時人民生活不下去，社會當然就會陷入混亂。最糟糕的劇本就是「世代鬥爭」。年輕人拒付年金、不繳社會保險費，完全捨棄高齡者。小巷中到處到都是三餐不濟的遊民老人，對將來不抱希望、喪失工作慾望的年輕人，鋌而走險四下犯罪。我們極有可能因此成

圖表 1-22 基本收支（PB）的推算及取得PB均衡的必須負擔

為紓緩超緊縮財攻，讓基本收支（PB）在二〇一〇年取得均衡，光消費稅就須要七十四兆日元。

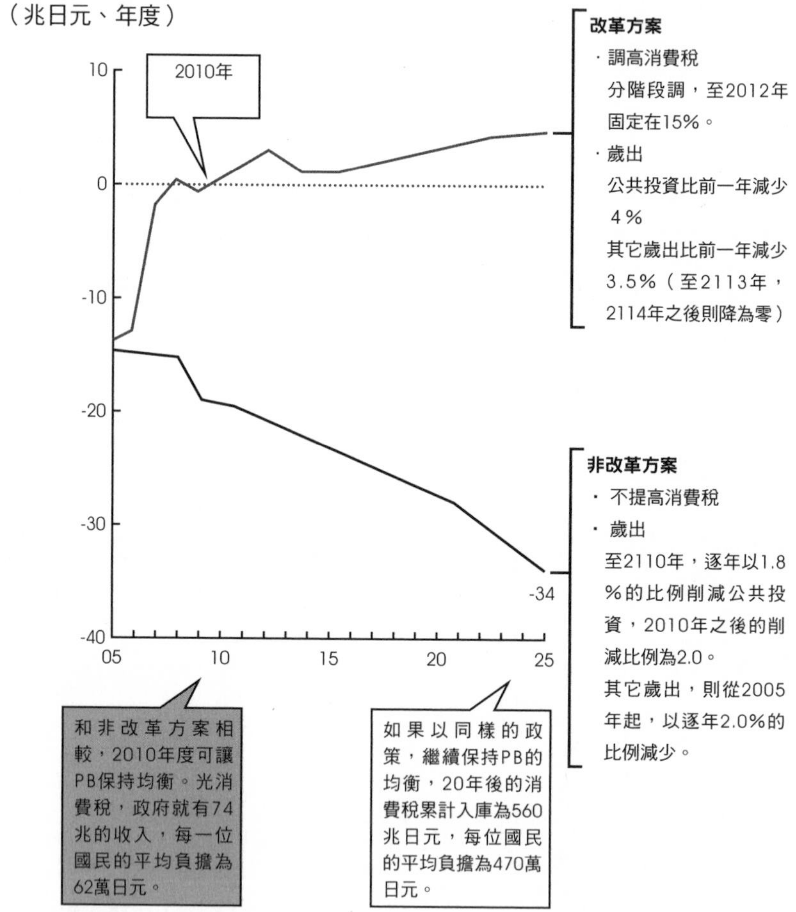
（兆日元、年度）
2010年
10
0
-10
-20
-30
-40
05
10
15
20
25
-34
改革方案
・調高消費稅
分階段調，至2012年固定在15%。
・歲出
公共投資比前一年減少4%
其它歲出比前一年減少3.5%（至2113年，2114年之後則降為零）
非改革方案
・不提高消費稅
・歲出
至2110年，逐年以1.8%的比例削減公共投資，2010年之後的削減比例為2.0。
其它歲出，則從2005年起，以逐年2.0%的比例減少。
和非改革方案相較，2010年度可讓PB保持均衡。光消費稅，政府就有74兆的收入，每一位國民的平均負擔為62萬日元。
如果以同樣的政策，繼續保持PB的均衡，20年後的消費稅累計入庫為560兆日元，每位國民的平均負擔為470萬日元。

※ 除掉社會保險給付的政府負擔部分

資料來源：「新願景模擬再試算結果」（日本經濟團體連合會）

為一個荒廢的國家。

不過，這是以現在的稅制為前提所編寫的劇本。如果政府相關單位能夠不站在「徵收」稅金的立場去想，而以生活者的觀點考慮「稅制應該如何如何」的話，就能夠自行找出根本的解決之策。

關於這點會在第六章詳述。我個人倒是有個解決稅金問題的方案。這不是奇策，卻是因應新的社會構造、新的質的變化的方案。要想讓經濟擺脫長期衰退，必須從根本改變既往的思考，不要只想增加上班族的負擔，才能創造符合新世界、適用於新社會結構的徵稅制度。

因應中下階級時代的對策

因為政府之前的錯誤對策所造成的損失已無法估計，但是一味懊悔也無濟於事，問題是今後我們該怎麼做。

一個中位數年齡超過五十歲的社會，已失去年輕的活力，要靠自己的力量變革是不可能的，所以我們要進行變革只有現在。回顧過往，可以發現在變革時代中的活躍人物都是年輕人。不論是進行明治維新的人，或是二次大戰之後，創建大企業的人，幾乎都是從十幾、二十幾歲就開始嶄露頭角，到了三十歲左右的時候即成氣候擁有一番成就。

但是看看今天的我們，在表現比較強勢的汽車、家電等產業中，算得上是較有制度的企業中的高層，幾乎見不到的年輕人的影子。除了綽號堀江A夢（horiemon）的活力門社長堀江貴文之外，幾乎看不到企業注入年輕的活力泉源。如果沒有因應對策，足以讓這個國家的年輕人解放活力，我們即無法在結構上擺脫長期衰退。

以世界史的觀念來看，日本的繁榮時代已經結束，取而代之的是金磚四國（BRICs，巴西（Brazil）、俄羅斯（Russia）、印度（India）和中國（China），發音類似英文的磚塊（brick），加上土耳其、越南、泰國等新興國家，這就是歷史的必然性。（圖表1—23）

一個個像昔日的日本一樣有活力的國家將陸續登場，當日本優越的技術遭到快速模仿之後，日本要維持優勢將越來越困難。這為日本招來了長期衰退的困境，不過日本企業本身自己也有加速衰退的趨勢。因為國內的年輕人才太少，優秀的人才都流到國外工廠、研究單位去了。結果就讓日本成了一個空殼子，無法讓長期衰退趨勢踩煞車。

日本從二〇〇五年開始正式邁向自然人口減少的社會，如果長期衰退的趨勢一直持續下去，日本極有可能淪為二流甚至三流的國家。

不過這是一種假設，假設日本「若無任何對策」的話，才會有此結果。

圖表 1-23 主要新興國家的中位數年齡的變化及推算

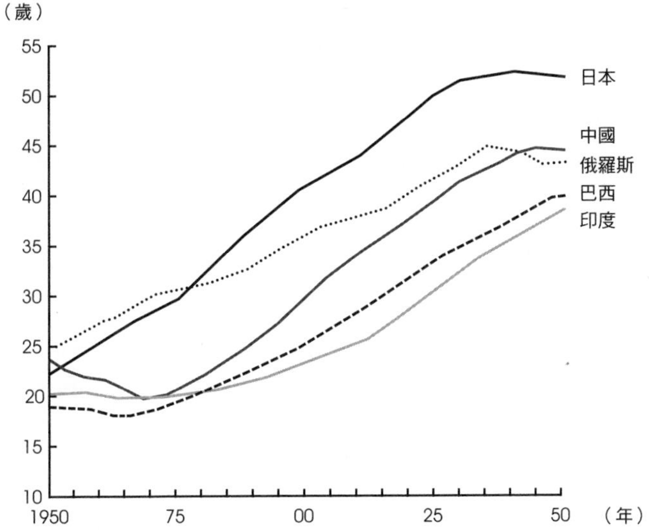

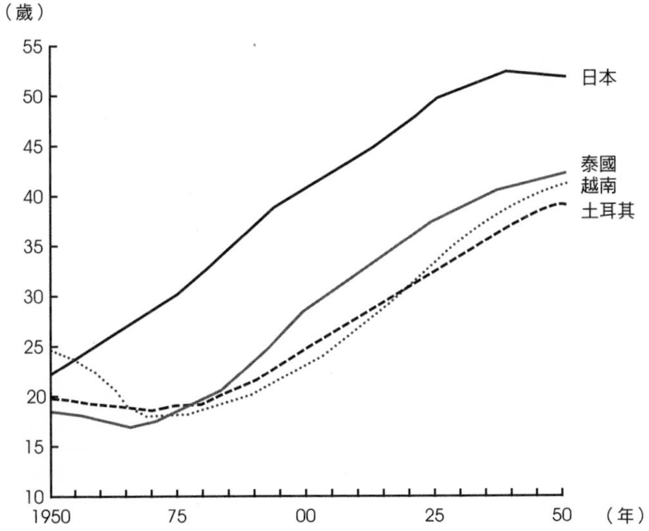

我就有因應的對策。所以我才能瞭解日本「長期衰退」的本質，而且同時注意到隨著中產階級社會崩潰而抬頭的中下階級，為數眾多的這群人所帶來的社會素質水平發生的質的變化。為了日本擺脫長期衰退，不單單只是稅制，我連對個人、企業及政府水平都有幾套因應對策。從下一章起，我就會開始針對因應對策的具體方法，順序提出檢討。

1 日文「中國特需」一詞其實是轉自於「韓戰特需」。「韓戰特需」是日本在二次大戰戰敗投降後，經濟、民生凋敝，百廢待舉，但一九五〇年爆發「韓戰」，美軍以日本為後勤補給基地，向日本調度支援戰事的「特別需求」龐大，使得日本發了戰爭財，經濟因而復興、起飛。

2 經常利益：從包含本業在內的各種持續活動中所獲得的利潤。稅前損益。計算式為：營業利潤＋營業外收益－營業之外的費用。為評估企業經營狀態的重要數字。

3 借換債：日本在一九六七年正式建立減債制度，成立償債基金，並訂定公債六十年平均還本規定。如果六十年裡並未將公債消化完畢，即由償還基金再發行五年期、七年期或十年期的公債繼續攤還債務，此時所發行的公債就稱為借換債。

〔第二章〕

中下階層時代的企業戰略

先知先覺者，贏家通吃

百貨公司為何門可羅雀

中產階級社會崩潰之後，所得階層呈現兩極化的事實，也為市場帶來了變動。其中占最多數、年收入在六百萬左右的中下階層，今後勢必持續擴大成為市場的核心，這一點將嚴重影響企業的戰略。

中下階層時代來臨的前兆，事實上已經開始在各經濟統計表中露出蛛絲馬跡。

從日本全國百貨公司的營業額推算圖表中，我們可以看到一九九一年的九兆七千億日元是營收的最高峰，此後即年年下滑，到了二〇〇四年，年營業額只有七兆八千億日元。也就是說，百貨公司的年營業額減少了兩成，金額大約二兆日元（圖表2－1）。百貨公司原本的主客層是年收超過千萬日元的上流階層，以及年收在六百萬日元至一千萬日元的中上階層。換句話說，造成百貨公司營業額低迷的最主要原因是，中下階層的客人增加了，中上階層的客人卻減少了。

圖表 2-1 商業區地價指數的變化

（單位：兆日元）

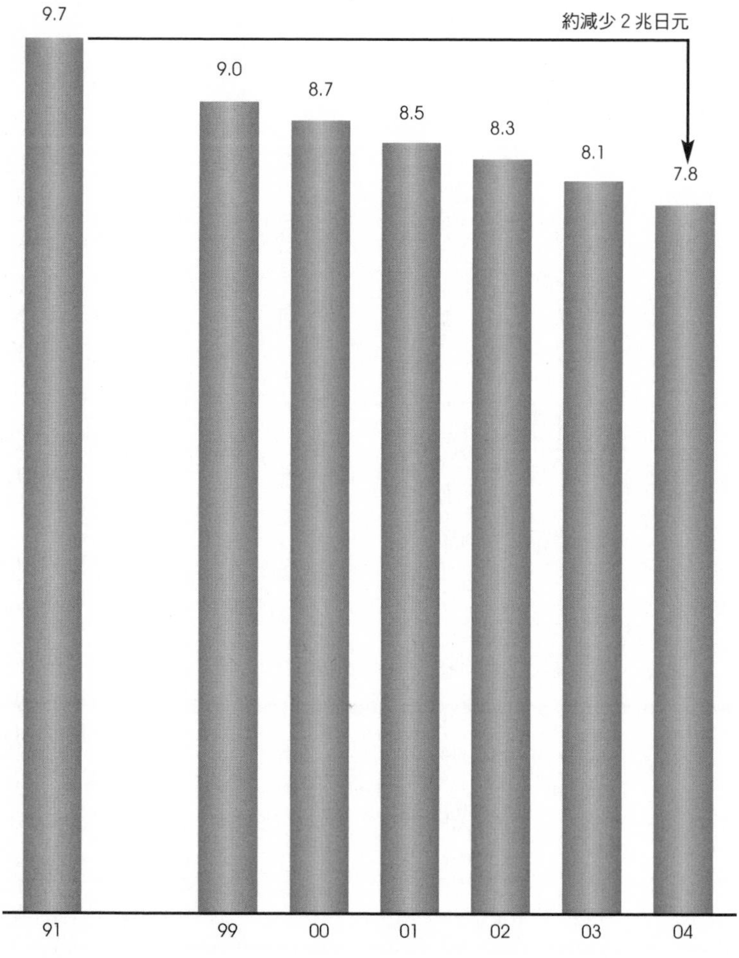

資料來源：日本百貨公司協會

所得差距的拉大，雖然讓上流階層的收入增加了，但是能夠真正滿足上流階層的高級百貨商品卻非常少。最具說服力的證據就是，在百貨公司中，真正提高市場占有率的只有關東的伊勢丹百貨公司及關西的阪急百貨公司，其它則幾乎都是慘澹經營。

更嚴重的是地方性的百貨公司，二〇〇二年二月，從福岡歷史悠久的老舖岩田屋百貨公司加入伊勢丹的體系開始，地方上有名的百貨公司即一個接一個被東京、大阪的百貨公司收購。現在，還值得收購的百貨公司一個也不剩了。換句話說，地方性的百貨公司成了當地經濟的包袱。

但是這些百貨公司卻不知道，他們的營業額之所以會不斷減少，是結構變化所造成的，所以仍然在既有的經營戰略延長線上，以重新裝潢、不著邊際的販賣策略拚命掙扎，抱著頭苦思「真是搞不懂為什麼營業額會直直落」。二〇〇五年十一月，百貨公司的年平均營業額比前一年增加了百分之四，業界即期待從此業績開始好轉，但是事態並沒有大家所想的那麼單純。

M型美國的榮枯盛衰

三十年前美國曾經經歷過邁入M型社會之結構變化，只要看看他們的歷程動向，即可了解百貨商店的衰落乃是結構變化所造成的。

從美國零售業營業額排行的變化（圖表2－2）來看，一九七一年名列前十名的十家公司中，有八家是量販店（General Merchandise Store）和超級市場，百貨公司只有一家擠入榜內。但是到了二〇〇三年，以經營折扣零售商店起家的沃爾瑪（Wal-Mart）排名第一，量販店就只有席爾斯（Sears）一家。但是席爾斯也在二〇〇四年被凱瑪特（Kmart）收購了。

為什麼會有這麼大的變化？簡單來說就是，以中產階級為主客層的主要量販店沒落，以中下階層為主客層的折扣零售商店抬頭了。美國零售業的榮枯盛衰，可以說是社會結構邁入M型之後的必然趨勢。

現在相同的狀況也開始在日本發生了。

根據零售業的業種別，我們來看看消費者這二、三年利用頻率增加的業種及減少的業種（圖表2－3）。利用頻率增加的有網路商店、百元商店、以食品為中心的超市、便利商店及藥妝店。利用頻率減少的大都是百貨商店，其次則是休閒服飾專賣店、量販店。

因為年收入在六百萬日元的中下階層及下流階層，占了全世代人口的百分之八十，所以此一階層人口的增加，理所當然就成了讓走低價格路線的零售業得以大躍進的原動力。

圖表2-2 美國零售業的營業額排行變化

以中流階層為主客層的主要量販店，隨著中流階層的崩潰開始沒落，以中下階層為主客層的打折商店順勢抬頭。

1971年		
1	席爾斯（Sears）	GMS
2	A&P＊	超級市場
3	Safeway超市	超級市場
4	JC	PennyGMS
5	SS Kresge	折扣零售商店
6	克羅格（Kroger）	超級市場
7	Marco	GMS
8	Woolworth	超級市場
9	Federated Departmen	百貨公司
10	Jewel Companies	超級市場

2003年		
1	沃爾瑪（Wal-Mart）	折扣零售商店
2	家得寶（Home Depot）	家庭娛樂購物中心
3	克羅格	超級市場
4	Target	折扣零售商店
5	好市多（Costco）	大賣場
6	席爾斯＊＊	量販店
7	Safeway	超級市場
8	Alberstons	超級市場
9	華格林（Walgreen）	藥妝店
10	羅威（Lowe's）	便利商店

圖表 2-3 零售業業態別的利用頻率之增減

到百貨公司購買高級品的人數明顯減少。

業態（業種）	利用頻率增加的人數（%）	利用頻率減少的人數（%）	利用頻率增加及減少的差距（增加的人數－減少的人數）
網路商店	36.8	4.3	32.5
百元商店	39.1	12.3	26.8
以食品為中心的超市	29.7	10.2	19.5
便利商店	28.3	16.8	11.5
藥妝店	21.8	10.7	11.1
家電量販店	13.8	13.7	0.1
家庭購物中心	11.8	13.7	-1.9
折扣零售商店	9.6	12.3	-2.7
量販店	19.3	24.6	-5.3
休閒服飾專賣店	8.7	18.6	-9.9
百貨公司	9.1	42.0	-32.9

注：這二～三年的利用頻率之增減。n ＝1200

資料來源：《消費者社會白皮書》（JMR生活總合研究所）

憧憬自由之丘

陷在結構變化當中的企業，到底該怎麼做才能提升業績呢？有很多經營者抱持的想法是「營業額積弱不振是景氣不好的關係」、「現在這種時機只能忍耐」，但是這種消極的做法，非但無法讓業績好轉，在忍耐的這段期間，公司還有可能因此而倒閉。如果經營者看不到已經發生的結構性變化，而不懂得採取因應措施，就算景氣回升，業績也無法有所成長。

所以讓營業額成長的重點，就是獲得市場最大客層——中下階層客人的青睞。施行手法的關鍵則在「憧憬自由之丘」[1]。

「憧憬自由之丘」的意思，簡單而言就是提供「價格便宜，感覺如在自由之丘」（日本東京市內的高級住宅區）的商品及服務，讓大多數的人享受想住卻住不起的自由之丘氣氛。

事實上，以這種模式經營成功的商店已誕生了。在零售業界中，業績呈快速成長的「自然廚房」（Natural kitchen）就是其中一例。

自然廚房是百元商品專賣店，販賣的都是感覺如精品店、Interior shop才有的好商品。

事實上，精品店、Interior shop所販賣的商品大都是義大利、北歐國家，或是日本製的商品，價格都不低。但是自然廚房所賣的東西，感覺、氣氛雖然一如這些商品，但是製造地卻是以中國為中心。在生產費用低廉的國家進行生產降低成本，就可以用一百日元的價格將感覺不錯的商品賣給消費者。換句話說，自然廚房的「感覺中上階層、價格下流階層」概念，得到了消費者的認同。

在精品店或Interior shop一個平均售價為九百日元的馬克杯，在自然廚房只賣一百日元；一般售價八百日元的置物盒，在自然廚房也賣一百日元。因為自然廚房所用的手法是，拿著精品店的樣品到中國等地，要求依樣畫葫蘆大量生產，所以即使才賣一百日元，仍有二十五日元的利潤（圖表2—4）。

但是相較於自然廚房，大創百貨（Daiso）的手法又不同了。大創百貨的商品也賣一百日元，但是商品的感覺也像一百日元。如果把大創百貨販賣的商品放到伊藤榮堂或7—ELEVEN賣，至少都在三百日元以上。大創百貨之所以能夠以一百日元的價格販售，卻還有二十五日元的利潤，是因為流通的架構以及成本結構和伊藤榮堂或7—ELEVEN並不相同。

自然廚房能夠以精品店、Interior Shop七分之一或八分之一的價格販售，也是因為採用和大創百貨相同的流通架構、成本結構，模仿高價精品大量生產。而它成功的祕訣就是把

圖表 2-4 雜貨・Interior Shop的價格

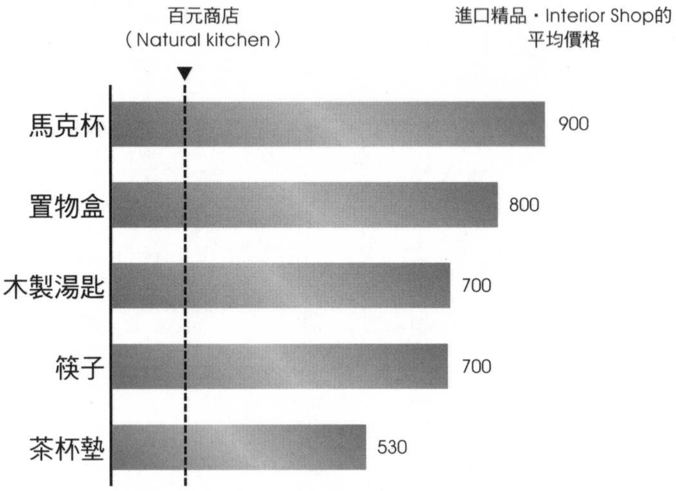

雜貨・Interior Shop的商品生產地不同

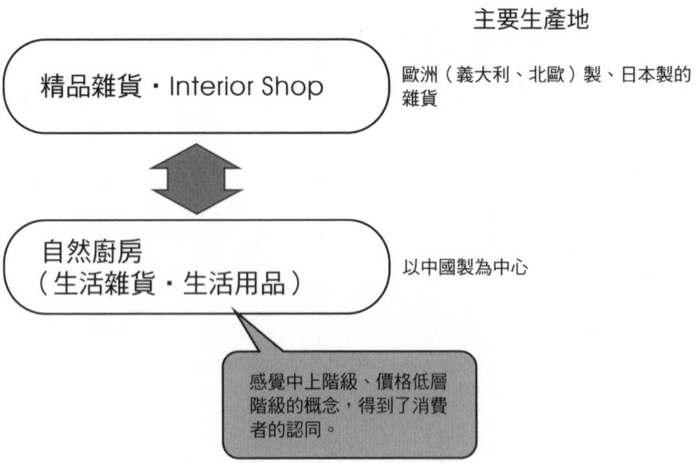

大創百貨的概念，帶進了質感更高的進口精品市場。

讓製程的效率發揮到極限

在成衣服飾業界中，「ＺＡＲＡ」（西班牙Inditex的品牌）因擄獲中低階級的市場而勝出。住在六本木Hills的人都是中上階層的人，所以世界知名的高級品牌都集中在Hills。不過最讓年輕女顧客趨之若鶩的地方，就是ＺＡＲＡ。現在顧客都一致認為ＺＡＲＡ是「六本木最有魅力的店」。

和高級品牌動輒五、六萬日元的夾克同等級的商品相比，在ＺＡＲＡ只要一萬日元左右就可以買得到。女用長褲（寬鬆的便褲）也在五千日元以下。一套十萬日元以上的男士西服，則只要三萬日元上下。所以就算是中下階層的顧客，只要想擁有，就可以付得起這種價錢。而且融合休閒風格及最新潮流是這些商品的一大特徵，為此，ＺＡＲＡ不但精心研究流行的款式，還將製造過程徹底效率化，以期在最短的一至三個星期之內就可以出貨，因此商品的改換速度非常快，可能在短短的三個星期內，店裡所有的商品全都汰舊換新過。

ＺＡＲＡ在全世界有三千家的店面，每家分店都能即時投入產品，以最快的速度提供顧客最新的成衣服飾，而且因為商品的週轉率非常高，所以即使有剩貨，折價的折扣也不過是百分之十五到百分之二十。

反觀高級品牌的服飾，從設計到出貨所需的時間相當長，再加上商品的週轉率並不好，所以出清存貨或過期貨時，往往必須降價四成之後，以Outlet的方式販賣，這也就是高級品牌服飾利潤會下滑的主因之一。另一種低價格品牌的商品，售價比ZARA還低，只有數千日元，但是設計力薄弱，商品本身就不具魅力。看到這種「只是一味求便宜」的商品，連中下階層的顧客也會掉頭而去。

ZARA以中下階層的價格，提供擁有中上階級質感的商品，就是「憧憬自由之丘」企業典型的經營模式，因此ZARA能夠在全球成衣服飾業界一枝獨秀。

讓耐久產品有多次生命週期

在家具業界中，愛莉絲．大山（Iris Ohyama）也是靠「憧憬自由之丘」成功的。這家公司以低價販售有質感的家具、有設計感的產品，持續讓業績成長。此一戰略表現最亮眼的，就是在沙發上。

沙發是一種生命周期非常長的商品，通常可使用五到十年。所以要換新沙發的時候，理所當然就將整組的沙發全都換掉。而客人會換沙發的時機，也大多只有在新屋落成、搬家，或結婚的時候，因此很難掌握到固定的客人。

所以愛莉絲・大山最先開始販售的是「可換衣的沙發」。也就是把從前售價約八萬到十五萬日元的雙人沙發套上沙發套，標榜只換沙發套就可以。這種「可換衣的沙發」，沙發本身的售價是三萬至五萬日元，沙發套一個是七千至八千日元。要換價格昂貴的沙發不容易，但是只換沙發套，不但價格便宜，而且可以配合季節、流行趨勢，輕輕鬆鬆更換。如此一來，愛莉絲・大山不但可以賺到沙發的錢，還可以賺沙發套的錢。這種戰略在之前的家具業界從來沒有人用過。

當然，能夠以這種價格賣給客人，是因為工廠直銷的關係，少了中間的一些費用，不但可以壓低售價，連利潤也提高了。此外，由於這些產品都是在半成品的狀態下送進倉庫，所以在Lead Time（從訂貨到交貨的時間）縮短的同時，也發揮了減低庫存的風險。不過最重要的是，廠商可以透過直營店察覺消費者的心聲，進而抓住中下階層的心，提供符合中下階層需求的人氣商品。

支撐「高感覺低價格」的成本結構

飯店業界也有應對結構變化成功的企業。

這就是以一般商務飯店的住宿價格，提供和高級大飯店同級服務的新型態商務飯店。以前商務飯店給人的印象是，住宿費用雖然便宜，但是內部的裝潢及服務是不可期待的，但是現在打破「便宜無好貨」觀念的飯店出現了。例如京王Presso-Inn東銀座，不但內部裝潢清新舒適，還免費提供剛出爐的麵包及咖啡。東急INN也為住宿客人準備齊全的盥洗用具，讓住宿的客人不必再像以往必須到自動販賣機去買牙刷、刮鬍刀。

最奇特的是東橫INN，這家連鎖飯店的經理人全都是家庭主婦。東橫INN所提供的免費早餐，不但有麵包，還有飯糰、味噌湯，讓住房客人覺得自己好像在家享用太太送上的早餐。這種以商務客人為中心的驚人工作效率，理所當然獲得大家一致好評。在設備方便，東橫INN也不遑多讓，不但有完善的網路電話、無線區域網路等，而且通訊費完全免費。

這些飯店共同的成功關鍵就是，讓中下階層的住宿客人，以同等於從前商務飯店住宿費七千至八千日元的費用，享受稍微奢華一點的氣氛。

這些新型態的商務飯店雖然花錢加強設備、提供更貼心的服務，但是利潤卻非常高。以東橫ＩＮＮ來說，社長之下的經理人不但全都是家庭主婦，連幕僚人員也都限制在最少的人數，完全不浪費任何人事費用。東橫ＩＮＮ的企業戰略是「用主婦的感覺經營」。當初這些毫無經營經驗的主婦經理人，經過三、四個月的訓練，個個都成了幹練的經營者，大幅提升飯店的利潤。東橫ＩＮＮ雖然嚴控人事成本，卻藉加強服務而擁抱成功。這些都是在中下階層時代，因做法稍稍轉個彎而成功的例子。

新奢華商品抬頭的背景

現在要介紹的是不同於「憧憬自由之丘」的另一種路線，也就是以提供「新奢華」商品服務而成功的例子。

「憧憬自由之丘」是「價格中下階層，感覺中高階層」，「新奢華」的特徵則是「價格和感覺都中上階級」，但是「新奢華」所鎖定的目標並不是中上階層，而是中下階層的客層。換句話說，提供能讓中下階層的客層「覺得有點勉強，卻想獲得」的商品服務，就叫做「新奢華」（New Luxury）。

這個名詞是波士頓顧問組織（Boston Consulting Group）所取的。如果再加上我個人的解釋，「新奢華」的意思就是以中下階層為主流，再加入「一點豪華主義的購買衝動」。

換句話說，品質高、感覺好的商品及服務，只要是在「加點油就垂手可得」的價格範圍內，消費者是樂於多付溢價的。美國就在這種消費模式固定之後，開創了全新的商品及服務。因為以前的主流商品已經過時，商品的範疇已經全都改變了。

日本的情況也相同。以食品來說，Pietro沙拉醬、健康econa食用油、喜見達冰淇淋（Haagen Dazs）的銷路，事實上都脫離了價格及數量的需求曲線（圖表2—5）。

造成新奢華商品消費現象抬頭的原因有好幾個。首先，折扣零售商店讓一般家庭節省了一些家計費用，讓中下階層的人有多餘的金錢可以購買稍微貴一點的商品。例如，平常在百元商店買東西，但是對於室內用具的高級感就是有份執著，平常身上穿的是優衣庫（Uniqlo）的衣服，但就是想要有個名牌包包，平常都吃超級市場的廉價品，但是對味噌、醬油就是非常講究。也就是說，一個消費者會同時擁有兩種完全不同的消費行動。

另外，職場上的單身女郎或主婦們，會用一筆固定的支出來「犒賞自己」或享受「偶爾的奢侈」，即使是收入屬於中下階層的女性，也有許多會花大錢購買名牌包包。因此，**察覺中下階層客層的心理，以合理的價格提供有奢華感的商品，就是成功的祕訣。**

圖表 2-5 價格及銷售數量的需求曲線

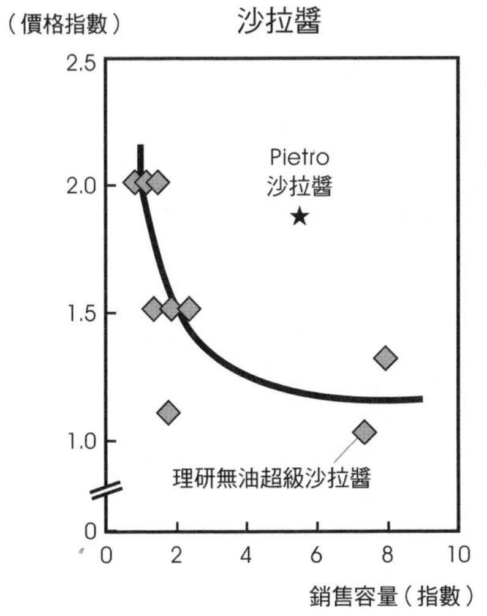

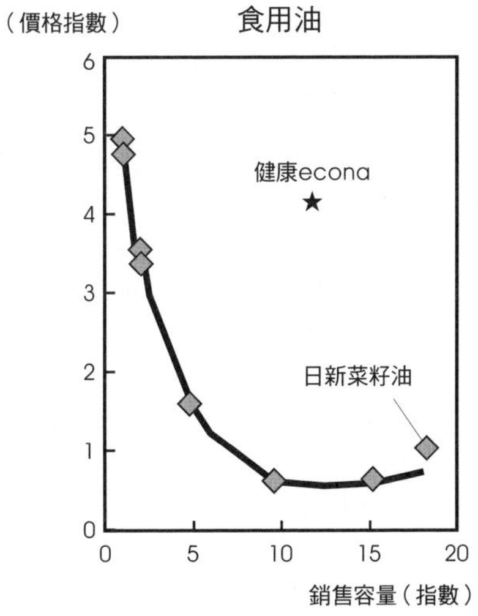

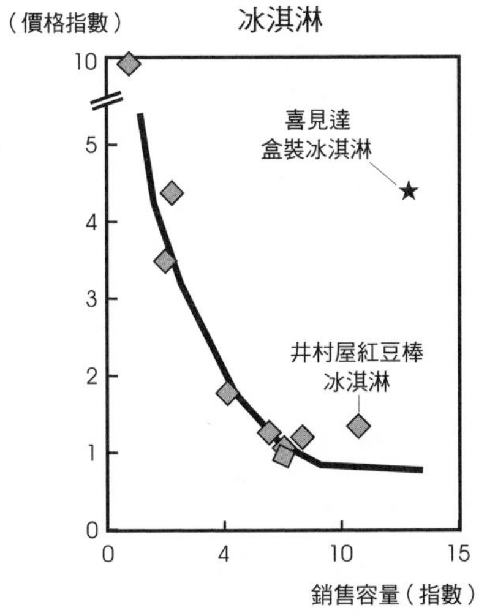

樣品：日經POS（2003年7月號）營業額進入前十的產品。
資料來源：「創造新奢華型的名牌」（波士頓顧問組織・杉田浩章）

中下階層改變了汽車產業

如以廣義的意思來解說，從數年前即一直大受歡迎的小型車（Compact Car）2，也可以說是中下階層時代的代表商品。

在日本人以往的觀念裡，年輕的時候賺得少，所以開低價位的車，但是在年功序列的制度下，年收入增加晉升中上階級之後，最後總想開開豐田皇冠、日產公爵（Cedric）。但是在「在公司服務得越久，薪水就是越多，職位就越高」的大前提崩潰之後，配合年收入改變車子等級的想法也從根本改變了。

二〇〇五年的銷售成績耀眼，能夠配合生活型態、又能享受奢華感的小型車，排氣量從一千至一千五百CC，價格從一百萬至一百七十萬日元左右。這種車的車身雖然迷你，但車內空間設計精緻，使用者的滿意度相當高。雖然售價很低，卻絕非「因為是小型車，就姑且忍耐」的次級品，所以這也可以說是「中下階層商品」中成功的例子。在輕型汽車市場也可以看到同樣的趨勢。

從以車名別登記的新車販賣台數排行來看，可以知道在二〇〇〇年度，進入排行前十的小型車，只有VITTS及CUBE兩款車。但是到了二〇〇四年度，就有FIT、CUBE、

圖表 2-6 小型車的販賣台數

占汽車販賣台數的構成比例（輕型汽車除外）

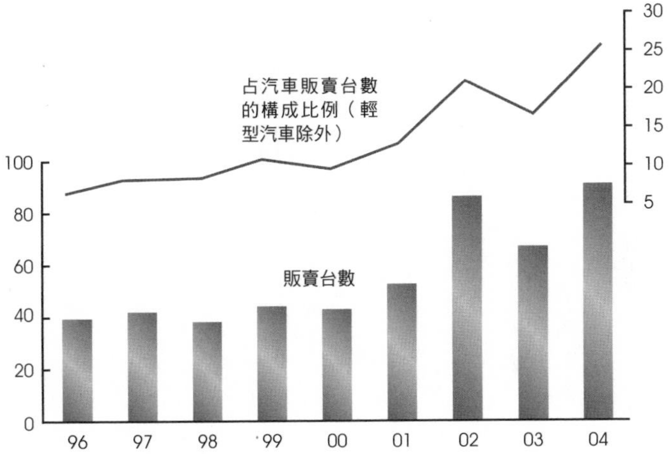

以車名別登記的新車販賣台數排行（萬台）

2000年度				2004年度		
1	Corolla	豐田	19.1	Corolla	豐田	18.7
2	Vitts	豐田	16.4	Fit	本田	15.2
3	Estima	豐田	15.8	Cube	日產	12.8
4	Odyssey	本田	15.2	Wish	豐田	11.5
5	bB	豐田	12.0	Crown	豐田	9.7
6	Crown	豐田	9.8	Passo	豐田	9.5
7	Fun_Cargo	豐田	8.5	March	日產	9.2
8	Cube	日產	8.1	Alphard	豐田	8.6
9	Mark II	豐田	8.1	Vitts	豐田	8.0
10	Wagon	本田	7.8	Odyssey	豐田	8.0

小型車　沒有明確的定義，泛指小型的汽車，排氣量1000CC～1500CC，價格約台幣三十萬到五十萬元左右等級的汽車總稱。

PASSO、MARCH、VITTS五款車。這就證明豐田皇冠不再是唯一的選擇，「配合自己的生活型態選車」的想法已經開始固定了。

以有限的收入享受自己可以認同的生活的想法，一定會成為「中下階層時代」的主流。

中下階層的市場

四成多的人口

企業分析市場之後，至少都會為掌握自己所要鎖定的客層區塊擬定一個戰略。因此在分析之前，就必須先整理出各所得階層，在已產生結構變化的日本市場所占的位置。

就算貴，也堅持優質商品、優質服務的上流階層（年收入超過千萬日元）至中上階層（年收入六百萬日元至一千萬日元）的高所得階層，及受年金之惠，而擁有高額可支配所得的銀髮族世代，都會進入中下階層的市場。銀髮族世代雖然收入很少，但有積蓄及年金，如果他們的錢流入消費市場的話，消費傾向（消費及儲蓄在可支配所得中，各自所占的比例。消費傾向加儲蓄傾向等於一）將會提升至中上階級。他們的錢之所以流入市場，是因為他們「擔心晚年」。後面的章節會詳談這個問題，總之，政治要負最大的責任。

因為所得差距的擴大，中上階層的人不但收入比以前豐厚，有的人甚至還擁有資產，但是包含中上階層在內的較高所得族群卻變小了。前面提過百貨商店的營業額陷入低迷，就是其一個例子。因此想要在中下階層的市場有驚人的成長，勢必得走徹底的新奢華路線及提供更精緻、更貼心的服務吧！

在低所得階層中，稍稍偏上的中低階層（年收三百萬至六百萬日元）的人，在價格方面，他們要求和下流階層一樣的便宜，但是他們並不認同「便宜無好貨」的觀念，所以對於商品的感覺，他們要求能達到中上階層的水準。所以對於高品質、好感覺的商品及貼心服務，他們並不吝惜多付一些溢價的費用。因此這個市場對於企業而言，是個極為嚴酷的市場，因為企業必須重組能夠降低成本的流通結構，或者開發具有新奢華風的商品。

但是，最具有市場可能性的，就是中下階層的客層。現在在日本，中下階層的人數占了最大的一個區塊，為百分之四十一點五（二〇〇四年），所以今後將形成一個更具有魅力、成長更為驚人的市場。就像之前大家所看到的，在雜貨、精品、時尚、汽車、飯店、金融服務等等業界，能夠看到成長的，都是成功擄獲中下階層客層的企業。

相對於此，年收入在三百萬日元以下的下流階層，便宜比感覺重要，所以「價格低才買」，就是這個階層的特徵。以人數而言，他們占了全人口的百分之三十七，僅次於中下階層，預估這個市場今後會更大。但是屬於這個階層的消費者，最近不但可用於選擇性消費和支出的錢變少了，還有強烈壓抑基本支出的傾向。

當然走徹底的低價格路線，也可以在這個市場開出一條路，但是要想在這個市場，讓收益持續成長的話，就必須覺悟，要和既有的折扣零售商店展開嚴酷的成本大競爭。

分析五大消費群

以下更進一步詳細分析日本的市場。

現在，我把日本的消費者群像細分，並為各區塊命一個名字。我以選擇性的消費及支出為縱軸，以收入及資產的高低為橫軸來顯示各區塊的分布情形，如（圖表2－7）

其中，所得最高、最有餘裕做選擇性消費及支出的是「富裕高齡者」。落在這一個區塊的人，在孩子都長大獨立之後，解除了教育費及房貸的壓力，所以在金錢的使用上最為寬裕。現在隨著高齡化社會的來臨，屬於這個區塊的人將會持續增加。經常到國外旅行的，就是這些人，現在出國不管走到哪裡，就可以看到高齡者的觀光團，就連不是觀光勝地的

圖表 2-7 中下階層市場和主消費群的關係

現在足以牽引消費、被稱為寄生蟲、敗犬族的單身女性，是構成中下階層市場的主力消費群。

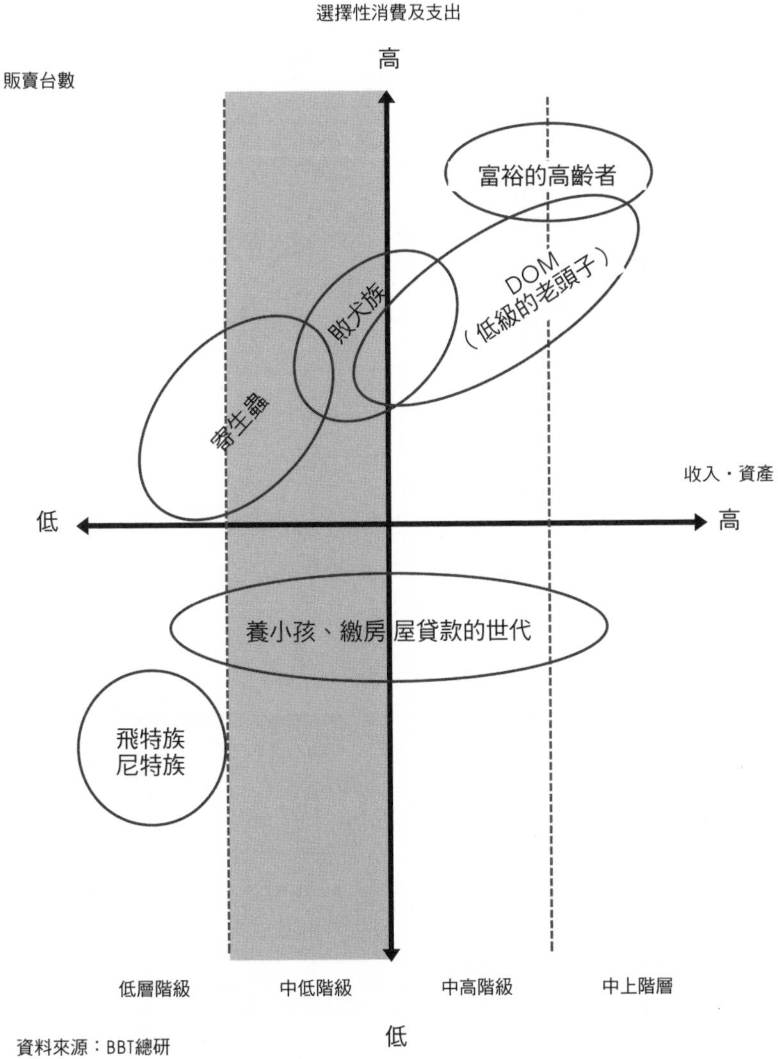

資料來源：BBT總研

西班牙鄉下地方，也都可以看到他們的身影。

接著是「ＤＯＭ」，這是我為這個區塊取的名字，就是「Dirty Old Man」的縮寫。（美國人常用這個字，意思是指專門追逐年輕女孩的色老頭。）落在這個區塊的，是擁有高收入、對美麗的女性尚「不死心」的中高年男性消費群。最近流行的「不良老爹」指的就是他們。他們是不需要擔心年金的「逃避世代」，所以對於流行時尚、自己的嗜好常常不惜一擲千金，潛意識裡就希望能受到女性的青睞。現在讓伊勢丹紳士館熱熱鬧鬧的，就是這些人。

在三十歲以上、有工作、沒有孩子，被稱為「敗犬族」[3]的女性區塊中，有一小部分女強人，擁有上流階層的收入，但是絕大多數還是從事事務性工作的中下階層。不過和同年代、需養家活口的男性比起來，屬於這一區塊的女性，因為不需要負擔貸款及孩子的教育費用，在選擇性的消費及支出上，仍然比較有轉圜的空間。

屬於這個區塊的女性，最擅長帶著ＤＯＭ一塊去血拼名牌包包，然後把自己賺的錢用在自己想做的事情上。常偕同性朋友到米蘭的，就是這個區塊的女性。

另外，「寄生蟲」是指沒有收人，必須向別人伸手拿錢充當自己支出費用的人。「未婚、有工作、沒有孩子」，並和父母一起居住的人，就是最典型的寄生蟲。現在三十五歲的女性中，有百分之三十五都是未婚的，而且有百分之三十五的人和父母親同居。在美國，年過二十還和父母住在一起的話，會被認為「很噁心」；但是在日本，屬於這一區塊的人數卻持續增加。這些人本身的收入屬於中下階層或下流階層，但是由於不需負擔家用，三餐靠父母，所以可用於選擇性消費及支出上的金錢相當寬裕。屬於這個區塊的人口數，據推算超過一千二百萬人，而且預估二十歲到三十九歲的人在這個區塊所占的比例將會越來越高。

收入少、可使用的錢也少的「尼特族」[4]及「飛特族」[5]，根據厚生勞動省的定義計算，日本屬於「飛特族」（不包含派遣人員、契約人員、希望成為正職員工的人，目前從事打工、計鐘點費的人員）的人有二百一十三萬人，相當於「尼特族」的「年輕無業者」，則有六十四萬人（二〇〇四年）。如以內閣府廣義的定義來計算，「飛特族」（包含派遣人員、契約人員、希望成為正職員工的人）有四百一十七萬人，「尼特族」有八十四萬七千人（二〇〇一年）。這個區塊不斷擴大，也是造成日本企業戰力低落，使日本陷入長期衰退的原因之一。此外，就消費而言，屬於這個區塊的人還有可能是日本經濟的絆腳石。

M時代的行銷戰略

因應消費兩極化

美國比日本早三十年，也就是在七〇年代前半，美國的中產階級即開始崩潰，國民所得朝兩極化發展。所造成的結果，就像我在前面章節所分析的，以中產階級為對象的流通業種量販店（General Merchandise Store）開始衰退，折扣零售商店抬頭成為主流。即便到了現在，美國的貧富的差距仍然非常大，所以企業全都致力於可以應對所得兩極化的市場行銷策略。

日本早晚也會面對和美國一樣的狀況，如果企業所採取的仍然是以中產階級為主，而非應對所得兩極化的行銷策略，想要在這個市場繼續生存恐怕很難。反之，能夠拉攏占最大區塊的中下階層的企業，將最有成長的空間。捨中產階級，改而掌握中下階層的「優衣庫」，年銷售額達三千億日元，就是因為中下階層抬頭的關係。

從日本整體來看，日本人的收入是減少了，但是這對日本企業所造成的影響，也不全然都是負面的。因為這個時候，社會結構變化而產生了新型態市場，正是開拓此一市場的

圖表 2-8 二十歲～三十九歲寄生蟲單身人口

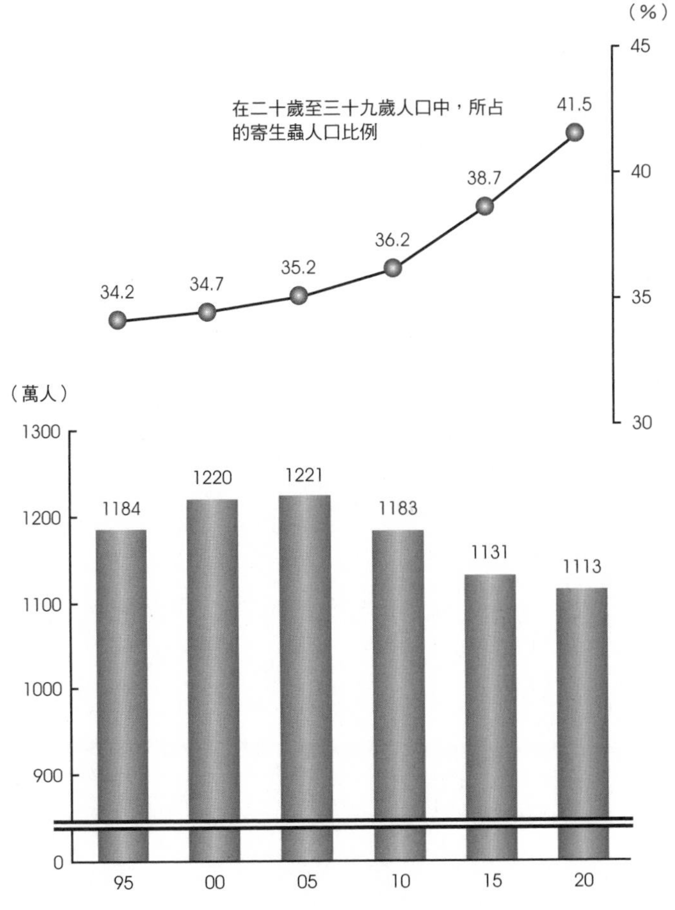

注：2000年之後為推算值

數值出處：根據國勢調查（總務省）、人口推算（國立社會保障及人口問題研究所）所做的試算
資料來源：第一生命經濟研究報告

最佳良機。

不過，國民所得兩極化之後，到底要鎖住低價格的客層，還是高價格的客層，企業可就得大傷腦筋了。因為從「經濟寬裕的人」「經濟不寬裕的人」的消費及購買行動來看，不是單純從價格就可以斷然下結論的（圖表2—9）。

認同「價格便宜就買」，經濟不寬裕的人理所當然比例最高，有百分之四十一點一，不過經濟寬裕的人也有百分之二十點三。認同「價格雖高，但是品質好就買」，經濟寬裕的人占了百分之五十六點四，經濟不寬裕的人也有百分之三十七點七。選擇「三思之後才會買東西」，經濟不寬裕的人占了六十點七，經濟寬裕的人占了五十二點五，兩個比例都很高。另外，「堅持喜歡的名牌」的人，不管經濟寬不寬裕，認同的比例都很低。經濟寬裕的人有百分之十點四，經濟不寬裕的人為百分之五點一。

從這個趨勢我們就可以確定——「高所得者＝名牌、高單價商品」、「低所得者＝便宜貨、低單價商品」的圖式是不成立的。在日本屬中下階層，可是年收六百萬日元以世界水平而言，則屬於上流階層。就像美國中下階層的人擴大了新奢華商品市場一樣，「經濟不寬裕」的日本消費者也不是只要價格便宜就別無所求了。換句話說，中下階層的人還是會用自己的基準選擇質佳、感覺好的商品服務（憧憬自由之丘）。

圖表 2-9

消費和購買行動的比較

不管是「經濟寬裕」或「經濟不寬裕」的人，購買的關鍵要素，都不是單純只問價格。

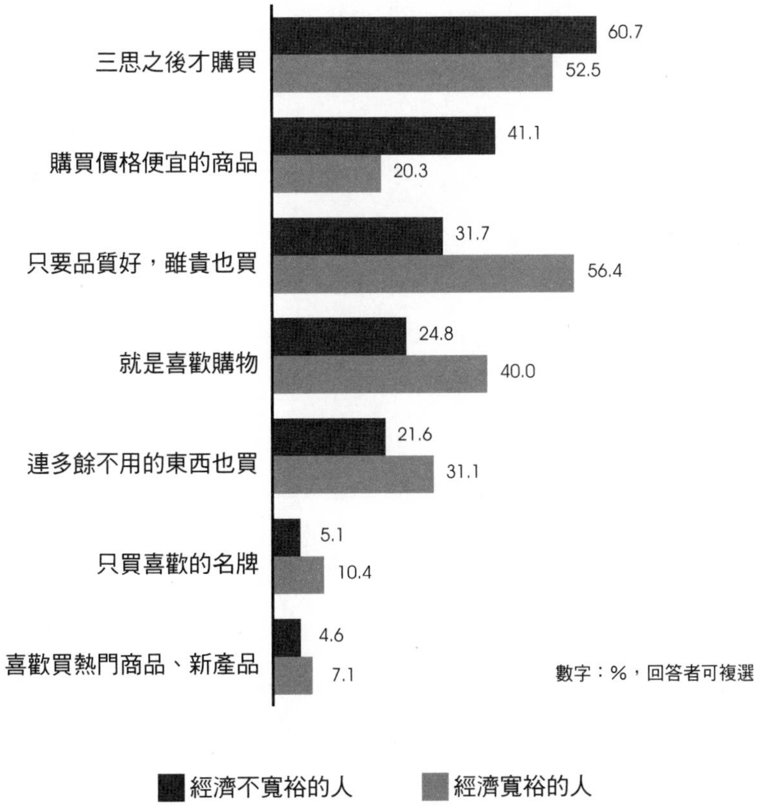

調查對象：全國18～69歲的男女個人
有效回答：1,472／2000
資料來源：《生活設計白皮書2004～2005》

你要做誰的生意

針對消費者的購買意識，企業該如何制定市場行銷策略呢？（圖表2—10）

首先必須要檢討的就是，針對所得階層的兩極化，企業是否要同時以這兩個階層為主力客層。如果答案是，接下來就必須檢討是否要用同一品牌的商品，或者是分別用不同品牌的商品以做市場區隔。

如果決定選擇所得階層兩極化後的其中一個階層，選擇基準就成了重要關鍵。

決定瞄準高所得階層的企業，必須問自己是否擁有創造相稱價值的能力及提案能力。如果有能力走徹底的奢華路線，即可檢討進攻上流階層。因為上流階層中，除了舊有不變的市場區塊之外，還有不少因為收入所得差距加大而變得更富有的人，所以徹底鎖定這個階層，也是非常有前途的一種選擇。

企業也可以選擇以前的中產階層及比中產階級稍稍好一點的中下階層為主力客層。但是決定之前，必須先檢討這個區塊已經縮小的事實。

如果企業選擇以低所得階層為主力客層，該檢討的項目就是，是否能夠建構可以與這個階層對應的收益結構。如果企業評估自己可以提供低成本、高感覺的價值，或者徹底鎖

圖表 2-10 企業對於所得階層兩極化該檢討的項目

針對所得階層兩極化，企業必須鎖住自有品牌、收益結構、價值設計等等項目，進行檢討。

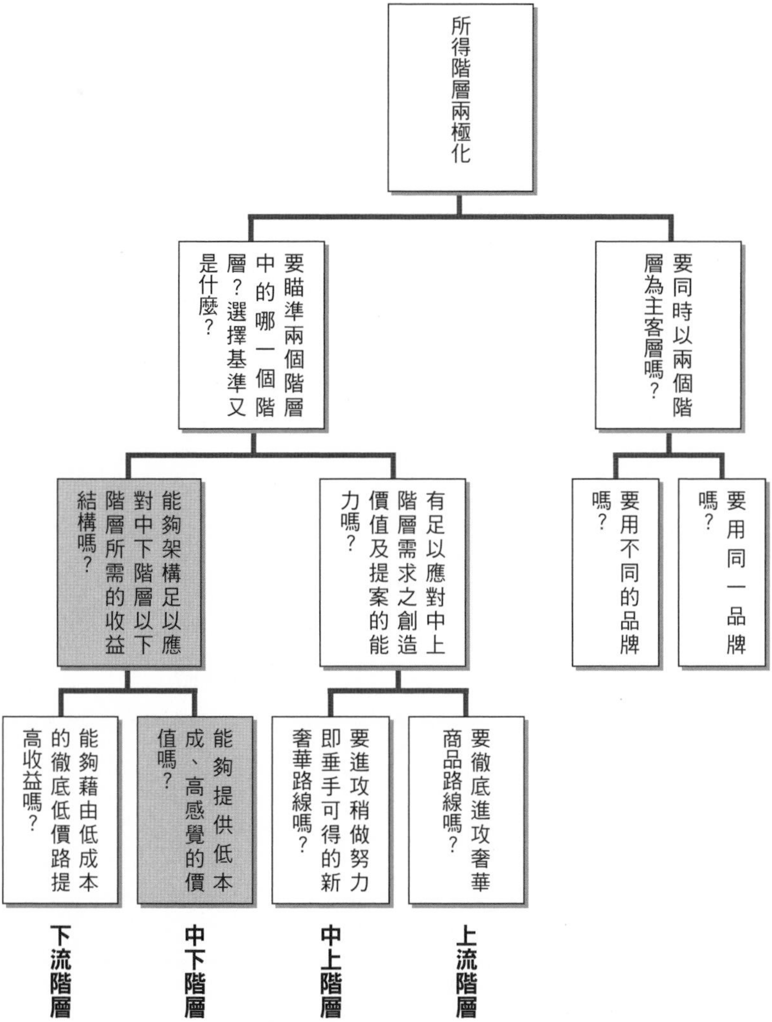

住中下階層走低價格路線，也可以提高收益，就可以以下流階層為主力客層。

不管如何，如果企業無法徹底排除生產、流通過程中的無端浪費，想在這個階層區塊中獲得利潤，將會非常困難。換句話說，企業如果無法在自有品牌、收益結構、價值設計等等之上，提出妥當的對策，即不可能在所得階層兩極化的時代中，擁有一席生存的空間。

日本有些企業已經針對兩極化的所得階層，分別投入不同的商品及開發新的通路了。例如，日清食品就推出比一般杯麵（一個一百五十日元左右）售價還高、大約二百至三百日元的「料多」杯麵等，設定的客層是年收入七百萬日元以上的上流階層，並標榜健康取向高附加價值，通路只走便利商店，不進入折扣零售商店，但是銷路奇佳。另外，日清又針對年收入在四百萬日元以下的客層，製造售價在一百至一百三十日元的低價商品，供折扣零售商店販賣。這就是以所得高低將主力客層區分為二，制定市場行銷策略非常成功的例子。

中低階層市場的行銷戰略

面對所得階層兩極化的事實，企業到底該如何經營又新又大的中下階層市場？最成功、最重要的關鍵，我已經告訴大家了。因此，企業必須擬妥戰略。此外，從以上的幾個例子，我們也可以看到好幾個對策。

在低價格業態中，加入附加價值

不是只求便宜就算了。商品的價格雖低，還是要加入一些附加價值，才能滿足中低階級客層的需求。例如自然廚房，雖然賣的是百元商品，但是加入產品堅持使用天然素材營造自然感的附加價值之後，就能烘托「憧憬自由之丘」的氣氛。

ＺＡＲＡ也是如此，雖然服飾價格的設定，是讓中下階層的客人也買得起，但是融入走在時代尖端的設計、即時迅速供貨的附加價值之後，客人滿意度大幅提升。此外又如東橫ＩＮＮ商務飯店，營造主婦親手下廚、體貼待客的感覺，讓住房客人用一般商務飯店的費用，享受如大飯店的加值服務，就能在同業中求得勝出。

重視「實用性」甚於「固定性」

在既有的固定產品中，多加一分實用性、機能性，就能創造出符合中下階層生活型態所需的商品。所以企業所提供的商品，不能只求廉價，還必須要有一定水準的品質。在汽車業中，高級小型車業績長紅，就是符合小標題的最佳例子。

讓庫存流動、增加消費

增加消費者的選擇項目，讓生命週期較長的商品產生流動，就可以增加消費者的購買機會。愛莉絲．大山傢俱店為生命週期很長的沙發，加上可替換的沙發套，就是最好的例子。沙發套的價格定在七千至八千日元之間，讓中下階層的客人買輕鬆、換的容易，成功讓庫存流動化成消費。可替換的流動沙發套，非常有效率地為愛莉絲．大山提高了收益。

讓庫存流動、增消費的模式，也可用於租車、租屋業。對中下階層而言，汽車和房子是一項負擔極重的支出，為典型的庫存消費業種。但是卻可藉租車、租屋，讓這些庫存動起來。

大家都渴望有「自己的房子」「自己的車子」，但是隨著消費意識的改變，今後提供租車服務的企業，應該可以開拓更新更大的市場。至於租屋業，業者給租屋者的應該不是「因為購屋資金不夠，不得不租間房子暫時忍耐」的感覺，而是提供連中下階層也租得起，而且有「憧憬自由之丘」氣氛的高品質、高格調住宅。如此一來，租賃市場一定會大為擴展。

活用IT（資訊科技產業）

IT化的優點是可以提升業務效率、大幅刪減店鋪費用、人事費用，壓低成本提供高品質的服務。

這也和傢俱、室內用具有關。「我的房間起居室」是一家很特別的公司，這家公司原來是個發行商，負責發行從《服裝》分出來的雜誌《我的房間》。後來開始販賣雜誌上所刊載的商品，開始從事通訊販賣；之後再轉型為經銷商，代理「我的房間」及「Cadre Sezon」的室內用品的同時，也將觸角伸入網路做電子商務，業績非常亮麗。

將透著「憧憬自由之丘」高級感的室內用品，以開直營店及電子商務的方式降低成本，再以適合中下階層的低檔價格進行販賣，就是這家公司成功的祕訣。這家公司的總公司就設在自由之丘，稱這家公司為「憧憬自由之丘」或許有點奇怪，但是它的市場戰略，的的確確就是「憧憬自由之丘」。

這二、三年來，特別是在電子商務方面，「使用頻率增加的人數」成長至百分之三十六點八，和「使用率度減少的人數」（百分之四點三）之間的差距，在零售業當中名列第一。預估今後電子商務的市場將會更大。

其它如資產運用、學習、教育等領域，也都會應用ＩＴ積極爭取中下階層的市場。

教育ＩＴ化的成效，我個人就是驗證者。日本從一九九八年起，開始使用寬頻進行遠距離教學，二〇〇一年設立可以在全國，不，應該說在全世界的任何地方，都可以在家上

MBA課程的研究所（Business Breakthrough Inc.）這比學生在實體教室中上課成果更好。上課的學生可以選擇自己方便的時段，並配合自己對課程的熟練程度進行課程。系統會在上課途中或者是上完課之後，進行檢核測驗，學生如果有不會的地方，可以當場重新再讀一次。

第五章會再詳述距離教學的狀況。總之，如果將資訊科技導入一般學校的教育體系中，就可以從根本改革日本的教育系統。如果優秀的老師在全國一起利用網路進行教學，學校就不再需要三流的老師，以後學校只要留下能夠指導學生未來出路的老師就可以了。在公務員當中，人數占最多的就是老師，教育IT化後，即可大幅刪減行政支出。

不進行流通革命就退場

因應中下階層時代的來臨，企業檢討過相關的對策之後，最低限度必須做到以低價格提供感覺不錯的優良商品。不過，絕大多數的企業都沒有建構能夠承受低價格的成本結構，問題就出在行政規制及日本特有的流通系統。

美國所得階層兩極化的結果，以中產階級為主客層的量販店走向凋零，以中下階層為主客層的折扣零售商店、超級市場開始抬頭。在兩者交替的過程中，政府徹底開放市場、放寬限制，各企業則努力追求流通效率化。

美國零售商的採購部放眼全世界，在當地直接採購價廉物美的產品。例如材質好、感覺高級的毛巾毯，在美國目標百貨（Target）、維多利亞的祕密（Victoria's Secret）、席爾斯等店，售價大約是三百日元左右。但是在日本的超級市場，就得賣到一千二百日元，就算移到折扣零售商店販賣，最低售價也不會低於六百日元。

事實上這種毛巾毯的製造國是土耳其。或許一般大眾並不清楚，但是土耳其的綿產品和埃及的綿產品齊名，品質堪稱世界最頂極。尤其是土耳其的絨毯，上面的刺繡不但富有傳統色彩，而且繡功精細、觸感高級。在美國中下階層的人，人人都買得起這種高級的毛巾毯。

美國的消費者相信自己眼睛所確認過的東西，所以只要提到最高級的綿產品，大家就會想到土耳其的產品。日本的消費者則大不相同，日本的消費者寧可相信名牌，也不相信自己實際用手觸摸過的感覺。

即使在原物料較便宜的國家進行生產，當產品要運回本國的時候，還是會委託貿易商處理，到了國內之後，再透過流通業者，視狀況進行批發。就因為這一連串冗長的過程，讓消費者無法買到價廉物美的商品。

事實上，優衣庫能夠快速成長的原因就在此。優衣庫將在中國生產、售價為一千零五十日元的絨頭織物運回日本賣一千九百日元，建構可以淨賺三百五十日元利潤的直接販售系統。同樣的商品如果交由大型的超商販賣，如果售價低於三千九百、四千日元的話，或許就沒有利潤了吧！

換句話說，從生產到販售，能夠刪減多少無用的成本，和價格競爭力成正比。因此想在中下階層時代繼續生存，企業改革流通應該是不可避免的。

誰能贏家通吃

反過來說，現在在所有的產業領域裡，每家企業也都有「贏家通吃」的機會。

例如「關門海」河豚料理連鎖店的股票，二〇〇五年六月在東證（Mothers創業類）市場上市。三年前國產河豚的港口交易價為一公斤一萬日元，現在國產的養殖河豚，每公斤雖然降到了三千日元，但是中國生產的養殖河豚每公斤才一千日元。在日本光是河豚飼料，就得花掉二千日元，所以在價格上根本無法和中國生產的河豚抗衡。

但是「關門海」努力開發自己的養殖技術，終於把成本降到和中國生產的河豚一樣，所以「關門海」才能夠提供一套才五千三百日元的河豚生魚片、乾炸河豚外加雜燴粥的精緻套餐。這個價位讓中下階層的客人也有能力享受「偶爾的奢華」，於是「關門海」的業績快速成長，並以河豚在股票市場公開上市。

「關門海」之所以能夠提供質優價廉的河豚，最主要的原因就是產地直送，中間沒有流通業者的介入，這一點和優衣庫是相同的。

現在世界已進入採購競爭的時代。美國的零售商已有一套可以到全世界搜尋品質優良、價錢便宜的商品，再直接調貨、供貨的完善架構。省去中間業者的費用，就算把價格定為製造成本的兩倍，也會有相當的利潤。美國不少企業就在這種流通革命中被淘汰。

在美國曾經發生過的淘汰慘狀，遲早也會在國內發生。所以今後企業也必須具備在最適合生產的產地進行生產，並直接把產品送到消費者的手上的能力。如此一來，幾乎所有產品的成本都可望降二分之一。接著在成本下降的同時如果再能提升品質，商品的品質就可以和世界最高品質接軌了。

如果我們能夠朝這個方向努力，消費者即使降為中下階層，也完全不必害怕。因為即使收入減少了，還是買得起價廉物美的優質商品。

但是政府卻把降低價格的動作稱為「通貨緊縮」，不斷把錢嘩啦啦地送往市場，大演調整通貨緊縮的鬧劇。由於市場熱錢過多，送出的錢幾乎沒有利息。對儲蓄大國而言，利息越高，景氣就越好。但政府完全不了解我在本書中所強調的國民結構變化、市場心理變化，所以在處理這件事情之上，就擺出了一副執政者眼中無百姓的「姿態」了。

另外關於流通，以日本為例，目前日本的制度，限制太多也是個大問題，所以，中下階層的人必須要求政府徹底廢除無謂的限制。日本的中下階層以世界標準來看屬於上流階層，所以只要日本開放市場、撤除無謂的限制，連中下階層的人也都可以過著相當富裕的生活。

「提高生活品質，降低生產成本」——近二十年來，我一直揚幡擂鼓大聲呼籲的這兩句話，現在終於成了政治的中心課題了。

1 憧憬自由之丘：自由之丘是日本東京的高級住宅區，住在這兒的人多為富裕人家，高級商店更是櫛比鱗次。大前研一即衍生自由之丘的涵義，自創此一名詞，意思是「以低廉的價格，購買如同自由之丘所販賣的高級品」。

2 小型車：沒有明確的定義，泛指小型的汽車，排氣量1000CC～1500CC，價格約台幣三十萬到五十萬元左右等級的汽車總稱。

3 二〇〇四年日本有一本暢銷書，裡面將年過三十歲的未婚女子被歸為「敗犬族」。

4 尼特族（NEED，Not in Employment，Education，or Training）：不工作、不上學，也不參加職業培訓的年輕人。

5 飛特族（FREETER）：指從學校畢業後沒有固定工作，靠打工來維持生計的年輕人。

〔第三章〕

中下階層的意識改革

從根本重新認識生活型態

高齡社會的煩惱

在前一章，我提到企業必須研究能夠因應社會結構變化的市場行銷戰略。但是需要變革的不是只有企業，每一個個人也都需要有足以因應社會結構變化的生活方式。在這一章，我就針對個人意識改革的必要性，提出我的看法。

雖然說消費者的購買意識、消費行動已經改變了，但是，在現實生活中，絕大多數的人還是沒有注意到社會結構上的變化，面對收入減少、負擔增加，生活者必須立刻改革自己的意識，重建自己的人生戰略。

經濟長期衰退、所得階層兩極化，導致國民收入減少、中下階層區塊擴增，這是大時代的潮流。就是這種變化，讓我們的意識產生了某種「動搖」。

同時呼應「長期衰退」的步調是，邁入一九九〇年代之後，在日常生活中「會覺得煩惱、不安」的人驟增。根據日本一九九一年的輿論調查，「不會感到煩惱、不安」的人超過百分之五十，這個數字比有感覺的人略高一點點。但是現在會覺得煩惱、不安的人是沒有這種感覺的人的兩倍（圖表3—1）。據我所知，沒有一位政治家或政府官員正視這個問題。

煩惱、不安的內容，以「晚年生活規劃」的問題占大多數，其次是「自己的健康」、「家人健康」（圖表3—2）。事實上，日本的年金金額比誇稱高福祉國家的瑞典還高，而且日本是全世界最長壽的國家，但是還是有那麼多人為自己的晚年生活煩惱和不安。

日本人為了晚年，做了年金、儲蓄、保險三重投資。他們把所收到年金的三成轉為儲蓄，結果過世的時候，存款數字達到最高峰，真的是非常諷刺。而且為了這三重投資，日本老人的生活變得非常貧乏。反之，以瑞典為例，國家會動用年金照顧老年人，所以絕大多數的人幾乎是不存錢的，也沒有必要為了以防萬一而投保。

此外，雖然日本人的所得在一九九七年到達高峰之後就開始減少，但是日本人的收入以全世界而言，仍然是屬於高水準的。如圖（圖表3—3）所示，如果以日本的所得指數為一百，和其它國際主要大國製造業勞動者的工資相比，日本僅次於瑞士，名列第二；比美國、英國、德國高出二成至三成，甚至是法國的兩倍。即使是一世代的平均一年所得，日本也是僅次於瑞士，排名第二，連扣除稅金之後的實際所得，也是次於瑞士、美國，排名第三（圖表3—4）。

圖表 3-1 日常生活中的煩惱與不安

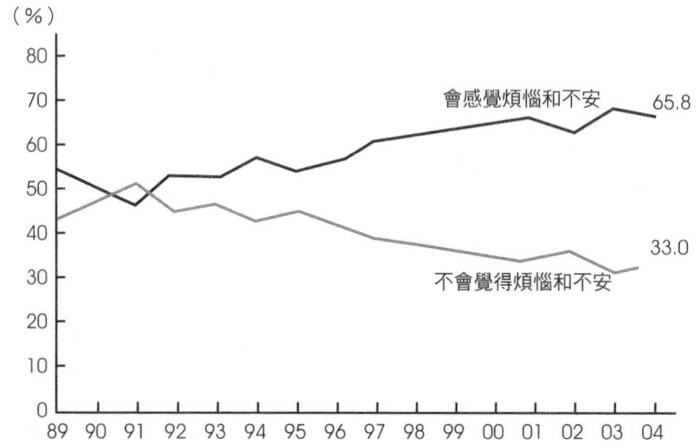

資料來源：內閣府輿論調查

圖表 3-2 煩惱和不安的內容

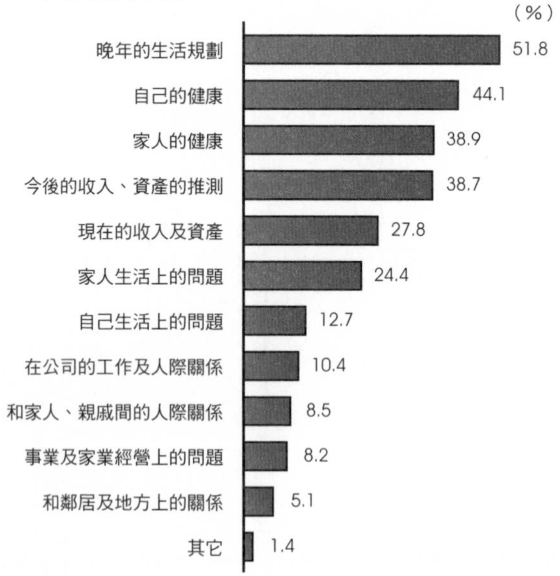

資料來源：內閣府輿論調查

圖表3-3 主要大國製造業勞動者的工資比較

（以日本的所得指數為100，2001年）

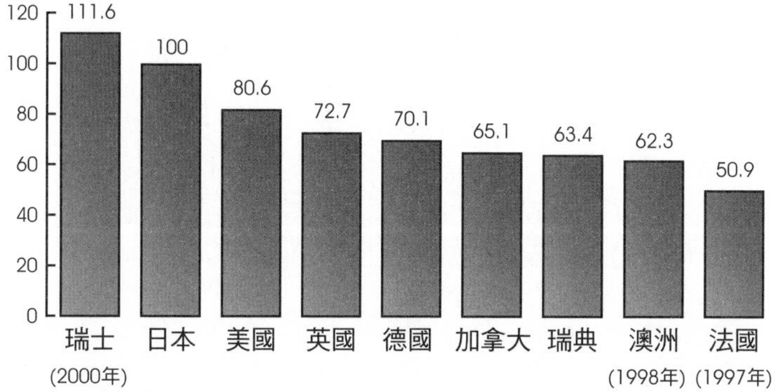

注：把各國生產勞動者平均每一個鐘頭或每一個月的實收工資，換算成日元之後，再和日本的名義工資（實質工資+物價上漲率）做比較。
資料來源：國際勞動組織（International Labour Organization）

圖表3-4 主要國家一世代平均一年所得之比較

(單位：1000美元、2004年)

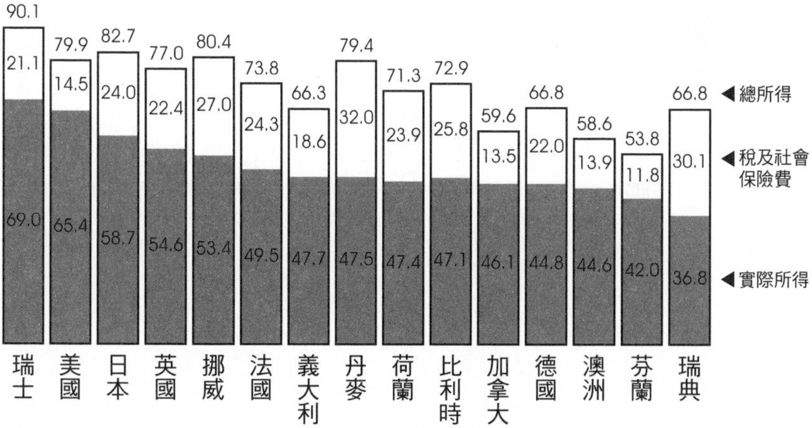

資料來源：英國Euromonitor公司所出版的《世界消費者生活形態資料集2005》（《World Consumer Lifestyles Databook 2005》）

儘管如此，日本人還是惶惶不安，我只能說是日本人體內的不安基因在作祟。至於不安的根本原因，或許是因為日本人不懂得安排自己的生活型態吧！

有九成的人認為自己屬於中產階級，所以長時間以來，我們都活在向大家看齊的中產階級社會價值觀裡，沒有人會去建構屬於自己的人生價值觀，因此在可自然加薪、升職的制度崩潰之後，即開始惶惶不安，擔心「自己這一輩子都是中下階層的一分子」。

正在崩潰的中產社會

隨著中下階層人口的增加，覺得生活不夠充裕的人也越來越多。尤其是養兒育女的這一代，覺得「各方面都不夠充裕」的人，占了百分之八十（圖表3－5）。「覺得各方面都充裕」（約百分之二十）的人，不是雙薪家庭、用錢不虞匱乏，就是住的是父母的房子，不需擔心房貸。

另外，我們也可根據針對其它經濟寬裕度看法所做的調查佐證，一九九五年，如果把回答「不太寬裕」、「幾乎無喘息空間」都列入「不寬裕」的回答計算，所占的比例是百分之四十五點一。但是到了二〇〇三年，增加到過半數的百分之五十四點五（圖表3－6）。

那麼，大多數人會覺得不寬裕的根本原因到底是什麼？我認為這個原因就是，**大多數**

圖表 3-5 養兒育女世代的家計寬裕度

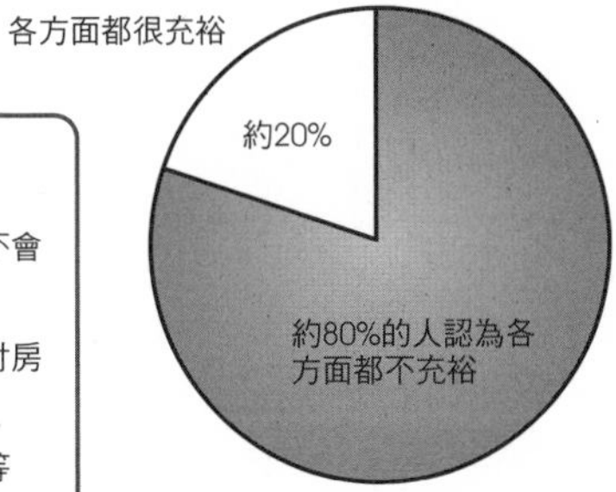

主要原因

- 雙薪家庭，用錢不會捉襟見肘。
- 有房子住，不用付房貸。
- 儘可能自己種菜等等，減輕支出。（自營業）

主要原因

- 房貸負擔沈重
- 需償還汽車借款
- 孩子的補習費、教育費
- 收入不安定

注：調查對象為要養育小學以下小孩、年紀在三十歲至四十五歲之間的男性及女性。有效回答為六百二十二人，其中男性為三百七十四人。
資料來源：2005年2月13日的《日本經濟新聞》

圖表 3-6 對於其它經濟寬裕度看法的調查

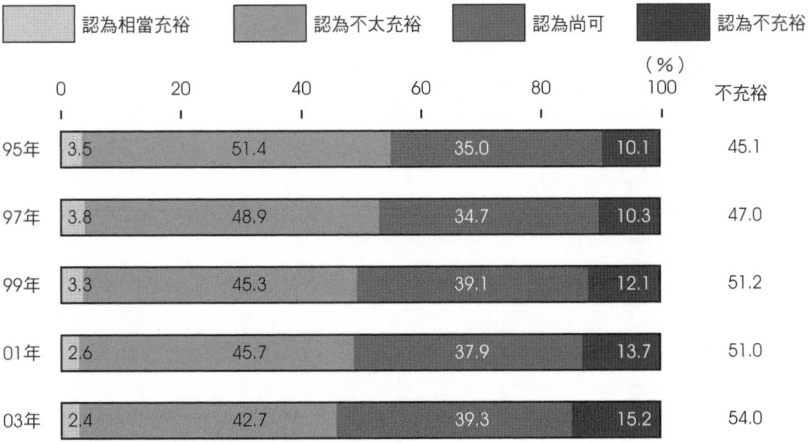

調查對象：全國18～69歲的男女個人
有效回答：1472／2000
資料來源：《生活規劃白皮書》2004～2005

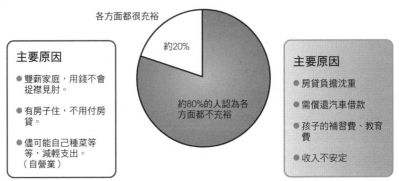

的人用錢的方式，仍然被「中產社會意識」拖著走，而未思考應配合自己的收入、改變生活型態，因而將錢花在「不是刀口」的事物上。

例如養兒育女的這一代，他們會覺得「各方面都不充裕」的最主要原因有，「房貸」、「車貸」、「孩子的補習費、教育費」等等；其中壓力最大的是房貸。在「家計負擔中排名前十的選項」中，選擇住宅相關費用的有分之四十五點八，排名第一（圖表3－7）。有房貸壓力的世代，可支配所得在九〇年代後半到達一個高峰之後就開始減少，房貸償還率，也就是房貸償還金額占可支配所得的比率也跟著持續增高，現在甚至已經超過了百分之二十（圖表3－8）。所以屬於此一世代的人會覺得被房貸壓得透不過氣來，生活完全沒有轉圜的空間。

為什麼大家這麼執著想買房子？

這種執著的「購屋信仰」，其實就是人人都認為自己是社會的中堅階層此一意識下的產物。年輕時薪水低無所謂，反正在年功序列的制度下，自然會加薪、會升職，所以就算日子會過得拮据些，在三十五歲至四十五歲的時候，都一定要編列房貸預算，買一棟屬於自己的房子。如果貸款的種類是三十五年期的長期貸款，就必須一直繳到七十歲。換句話

圖表 3-7 家計負擔中排名前十的項目

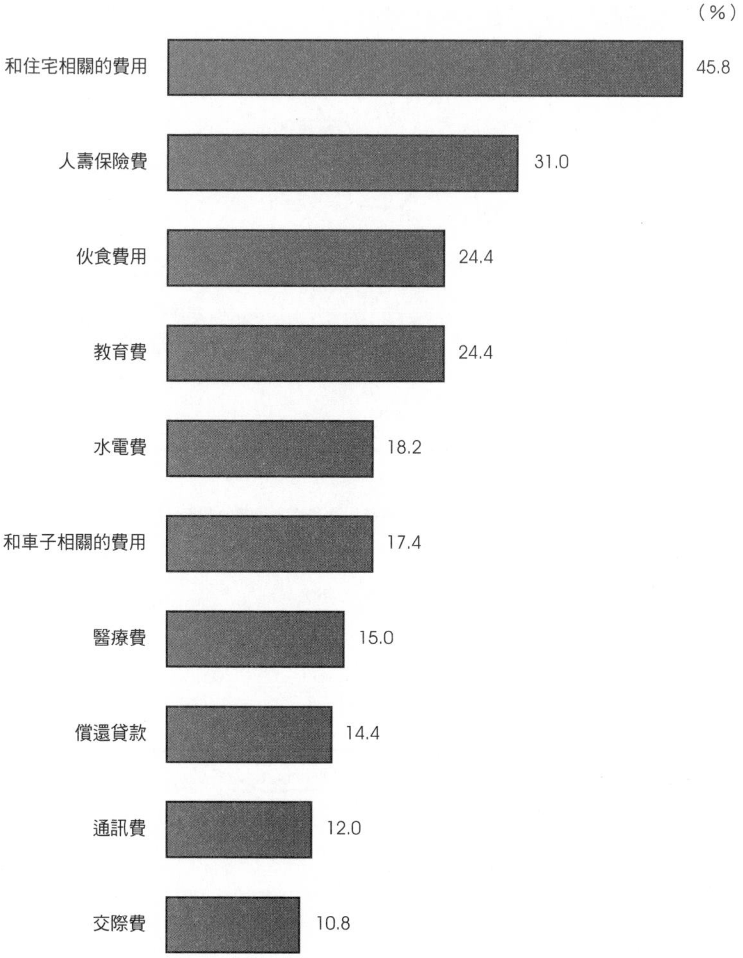

調查對象：五百名丈夫年齡在二十至四十歲、而且是上班薪水族的家庭主婦
資料來源：夏季獎金及舒適生活之問卷調查（日本損保DIY人壽保險公司SONHO JAPAN DIY LIFE INSURANCE）

圖表3-8 有房貸壓力世代的家庭環境

可支配所得大幅減少，房貸壓力更沈重。

有房貸壓力世代可處分所得的變化

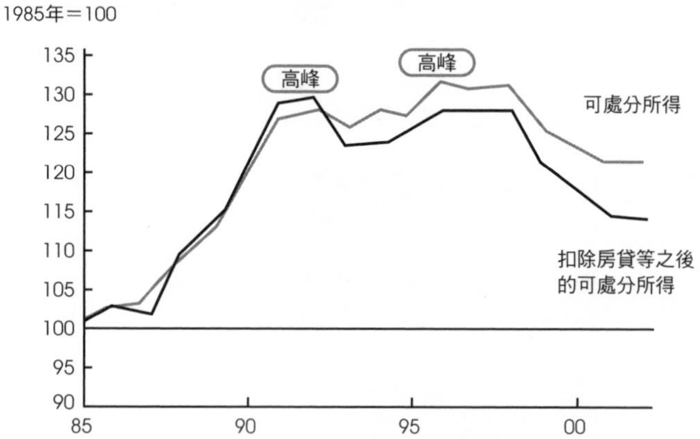

注：勞動者世代中一世代平均每一個月的可處分所得扣除和住宅相關的費用後的所得。

房貸償還率的變化

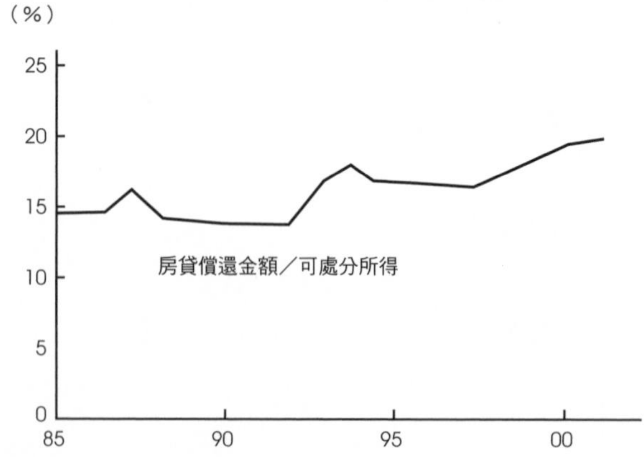

資料來源：平成十五年（二〇〇三）版的「國民生活白皮書」
出處：總務省的「家計調查」

說，即使退休的時候領了退休金，極有可能還是用來還房貸。而這就是日本「薪水族」的典型人生模式。

不過，這種人生規劃現在已經無法成立。因為累積年資、默默埋頭苦幹就會加薪、升職的時代已經結束，許多的上班族已經開始覺得「收入或許已經不會再增加」、「職位或許再也升不上去」。總之，以加薪、升職為前提而設定的房貸預算，已讓大家叫苦連天，所以這根本就是不合邏輯的規劃。

「郊外購屋」或「租房子＋周末度假小屋」

到底購屋有多少好處？讓我們實際來計算一下。如果在通勤時間一個半鐘頭車程內的地方，買一間售價五千萬日元的房子（編按：以匯率和物價指數換算，相當於台幣五、六百萬的住宅），包括利息在內，支付總額為七千萬日元。不過，據說大半的人想買一間五千萬日元的房子，事實上最後成交的卻是七千萬日元的房子。

如果在通勤時間半個鐘頭車程之內的地方租房子，每個月的租金以十二萬日元計，一年的房租是一百四十四萬日元，十年是一千四百四十萬日元。假設上班族一生的工作年數是三十年，需付的房租是四千三百二十萬日元。換句話說，不買房子的話，就可以輕輕鬆鬆多出二千五百萬日元。

有了這二千五百萬日元，可以選擇在郊外買棟小別墅，或者買間週末渡假小屋。如此一來，通勤輕鬆，週末生活也更富情趣。星期一至星期五的晚上，就算所租的公寓稍微小了點，但是靠近市中心上下班方便；星期五晚上至下個星期一的早上，可以住進別墅裡擁抱大自然。這種生活型態絕對不是不可能的。

如果家人希望「過田園生活」，也可以自己一個人在市中心附近找一間只有一個房間的小公寓享受單身生活，週末再陪家人一起住別墅。這個時候，可以把房租的額度減少到最低限度，然後用剩餘的錢，提升別墅品質，或用在充實娛樂生活上。

這只是換個想法的例子。總之，拋開世俗購屋的迷思，為自己量身訂做一套屬於自己的住家風格，就可以過得更充實、更富裕。

對於購屋，現在年經人的想法已經開始轉變了。九〇年代中期之前，三十幾歲、在首都圈工作的上班族，可以容許自己花一個半小時的時間通勤。但是現在的年輕世代，抱持「要花一個半小時通勤，寧可不要房子」想法的人越來越多。因此既使是在外租屋，也必須符合通勤輕鬆的條件。在進入市中心越快越好的需求下，以前距離市中心一個半鐘頭車程的「衛星住宅區」（bedtown），現在都變成了鬼城。

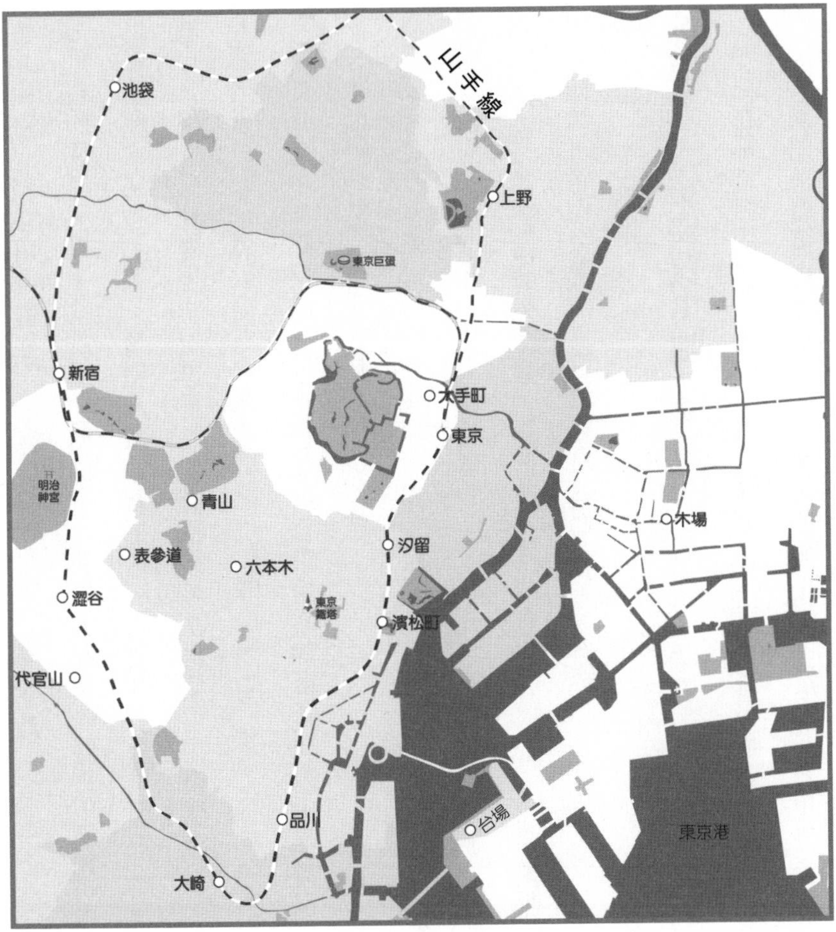

如果中下階層的人都這麼選擇的話，位於大都市郊區的房子需求量就會急速滑落，而鄰近市中心、品質佳、感覺好，有「憧憬自由之丘」氣氛的出租房屋勢必大量推出。

事實上，都市開發計劃就是朝這個方向邁進的。例如，JR東日本公司大規模開發上野至品川之間的土地，尤其是在汐

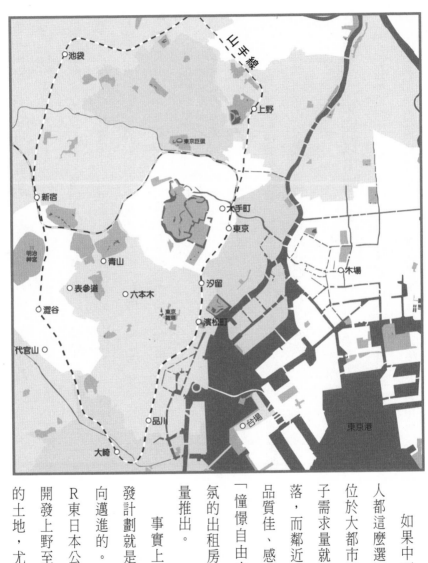

留至田町、濱松町（編按：此區域離市中心車程約一、二十分鐘內）之間蓋了數量非常可觀的住宅大樓，就是最好的例子。我個人預測，將來上野到品川沿線，將會變成日本的曼哈頓。另外，東京灣岸的海埔新生地，由於許多企業都把生產據點移到中國等國外的城市，現在已經變得空空盪盪，到處都是無法再使用的廢棄廠房。如果在這裡建高層住宅大樓出租，一定可以提供大量、低價、距離市中心只要十五分鐘車程的房子。

如果連中下階層的人也租得起鄰近市中心的優質房屋，今後採取「租屋＋周末度假小屋」生活形態的人一定會越來越多。

關鍵就在意識形態的轉變。例如，亞洲人不論住多小的房子，都一定要買洗衣機。但是美國從三十年前起，住小小公寓的人，早就用投幣式洗衣了。我們在抱怨「沒有地方放洗衣機」之前，應該先想想「為什麼一定要有洗衣機？」只要拋開中堅社會裡許多根深柢固的觀念，每個人都可以選擇適合自己的生活型態。

都市人一定要買車嗎？

住在都市裡的人，除了不需要購屋外，更不需要購買車子。三十年前因所得階層兩極化，美國的消費者心理也產生了莫大的變化。「反正花錢也無法擁有，乾脆需要的時候再租就好了」，當這種想法成了都市中一般人的基本常識後，出租汽車即茁壯成為巨型的產業。

現代人的「買車情結」和擁有房子的信念一樣強，所以租車市場的規模非常小。雖然現在隨著加薪、升職更換比較高檔車的「汽車＝身位地位」意識情結比較薄弱，讓低價位、感覺還不錯的小型車躋身成了新寵，但是在買車之前，還是應該試著再問自己一次：「我真的需要買車嗎？」

除了自己的車子，沒有其它任何代步工具的地方，另當別論之外，都市裡的大眾運輸工具四通八達，必須要用到自己車子的機會，實在是少之又少。買一台車，除了購車款外，每個月的停車費至少在幾千元以上，如果把車檢費用、牌照稅等也算在內的話，光是維修費用，平均每個月就要上萬元。假設每週才開一、兩次的話，還是租車比較有效率，也比較便宜。而且只要大家都棄買車為租車，出租車產業在相互競爭之下，一定能夠提供更便宜、更優質的服務。

美國及歐洲有些地區，採用的形式是和朋友共同擁有及共同分享一台車。而且美國有些州，還設計了高乘載車專用道路，讓乘車人數較多的車子，可以優先行駛。這種設計對老是出現尖峰時段塞車的大都會而言，應該非常有效，值得採用。當然採行的大前提是，必須先捨去「買車情結」。

另外，現在買車的時候，大都會加裝價值約上萬元的衛星定位系統（Global Positioning System, GPS）。在安裝之前，大家應該先想想這套系統真的值這麼多錢嗎？買一本道路地圖好好利用的話，衛星定位系統的必要性到底還剩幾分？另外，抓出買車之後到換新車這段期間，這台車的衛星定位系統會被使用的次數，再用安裝價一除，或許你就會驚叫「每次使用單價貴的這麼離譜，還是不要安裝了」。

德國車的衛星定位系統，全都是日本生產的。因為連買賓士、BMW等高級房車的人，通常都不安裝衛星定位系統，所以德國本土並沒有製造衛星定位系統的廠商。

開車頻度因人而異，不要因「大家都裝」而裝，我們一定要懂得自行判斷，衛星定位系統是否有安裝的價值。

當然，想花大錢購買連在哪兒開都不知道的越野型休旅車（Sports Utility Vehicle, SUV）的人，不在我討論的範圍之內。因為我們根本沒有可以開這種休旅車的地方。一般來說像林道這種地方，通常都會在入口處寫著「禁止入內」。像我這麼熱愛越野摩托車的人，跑遍了日本就是找不到一處可以痛快操縱四輪驅動車、越野摩托車的天堂。

此外每到週末，都可以看到上班族呼朋引伴在洗車場拼命洗車。這種舉動實在令人費解。花大錢買幾乎沒開的車，又把周末大好時光用來洗車。我相信把這麼多的時間和金錢，用來增加自己的實力會更划算。

例如月薪五十萬日元（年收是六百萬日元）的人，換算成時薪就是三千日元。洗車花掉兩個鐘頭，就等於浪費了六千日元。如果每週用這兩個鐘頭上經營管理課程，一年的上課時數就是一百個鐘頭。這是讓自己年收入躋身二千萬日元行列最有效的方法。在我所創立的經營研究所中上MBA課程，總費用是二百五十萬日元，這筆金額正好和兩年內不買車而額外省下的錢的數目是相同的。換句話說，把這筆錢用來培訓自己經商的實力，就可以取得經營管理碩士的學位。支出的費用明明相同，但是如果有人認為學費就是比車費貴，建議不妨思考一下對增加薪水而言，哪一種支出比較有效用。

該為孩子教育付出的不是錢

根據（圖表3－5）的問卷調查，日本養兒育女世代中，約有八成的人都回答「各方面都不充裕」。在「家計負擔中排名前十的項目」裡，教育費和伙食費則並列第三（圖表3－7）。在日子過得這麼苦的情形下，真的有必要讓孩子去補習嗎？這也是我們必須重新思考的重點。

根據日本厚生勞動省《國民生活白皮書》的資料，二〇〇三年「養育一個孩子的費用」約為一千三百萬日元。但是文部科學省二〇〇二年度「孩子學習調查」及「學生生活調查」所提出的數字是，除了小學之外，如果小孩讀的都是私立學校（幼稚園、國中、高中、大學），學雜費、住宿生活費加起來，必須花一千八百萬日元以上。如果連小學都唸私立小學，很容易就跨過二千萬日元大關。另外，在年收入未滿一千萬日元的家庭裡，如果有一個孩子上高中或者是上大學，教育費就占了收入的百分之三十五。難怪養兒育女的世代會認為生活拮据。

但是，事實上卻沒有任何證據足以證明，把錢花在教育上是值得的。仔細瞧瞧繳交高額稅金者的名單，沒有一位是自一流大學畢業後就進入一流企業工作的人。「把錢花在教育上是浪費」就是現實中的狀況。上補習班的孩子，很多都是靠便利商店的便當、速食麵解決三餐，這對孩子的身體成長及腦部的發育是一種嚴重的傷害。但是面對這麼多的負面因子，父母還是拼命讓孩子去補習，希望孩子擠進一流學校或明星大學。

現在日本的教育制度，還是停留在工業化社會時代；也就是說，日本的教育是在量產高於平均水準之上的人才。很諷刺的是，在今天的日本教育體系下，被教出來的「優秀」

孩子，並不適用於未來的時代。從小即被刻意栽培的人非常脆弱，進入社會之後，不是不會工作而慘遭裁員，就是根本不就業；甚至因為沒有就業的原動力而淪為尼特族。投入教育的金錢和得到的成果，似乎扯不上任何關係。

因此，做父母的與其為這種無意義的事情浪費金錢，不如多投資些「時間」在孩子身上。父母本身就是活教材，把社會的殘酷面告訴孩子，指導孩子如何突破困難、衝過險境是非常重要的。父母必須讓孩子有經得起大風大浪考驗的骨氣和韌性。

這並不是一件困難的事。父母的只要常和孩子對話，就可以和孩子一起分享自己在社會上的經驗。同時，也可以趁機聆聽孩子聊學校的事情，了解孩子的想法。要培養孩子人生觀及人生哲學，親子之間的溝通對話是絕對必要的。

不管是學校或是補習班的老師，都無法教導孩子人生的意義及生活方式。因為學校裡的老師，通過教師鑑定獲得錄取之後，即認定了這個「鐵飯碗」，但是這些老師的社會經驗值等於零。一個不曾被社會狂風巨浪吞噬、不曾受上司的欺負、不曾被同事打壓、不曾為轉業而煩惱的人，當然無法教孩子認清人生的意義及生活的方式。

把孩子的教育問題全推給沒有外出工作的母親；孩子的母親再把孩子外包給家庭老師、補習班老師，是最糟糕的模式。因為家庭老師、補習班的老師完全不會教孩子信念、哲學等等和人生觀相關的知識，所以孩子根本沒有為走過風雨人生該有的智慧與悟性。總之，最恐怖的事，莫過於把孩子的教育外包了。

重新檢視無謂的支出

現在大家明白，受到中產階級意識的影響，在無意識之間買屋、購車、為孩子交補習費是多麼沒有意義了吧！重新評估這三項支出，至少可以省下近千萬的房屋費用（如果不買別墅的話）、數萬元的汽車維修費，如果把購車款一併加入計算的話，可省下的金額至少在一千多萬，另外，教育成本也可以減少百萬元之多。這對中下階層的人來說，等於生涯可支出費用多出了一兩千萬元。

多出的這些錢，又該怎麼使用呢？決定之前，一定要和家人仔細商量。至少夫妻之間一定要徹底溝通，達到完全的共識。

以前上班薪水族的人，都以加薪、升職為前提來規劃自己的人生，所以就直接把社會的平均值，視為個人的期待值。「至少像別人一樣有間屬於自己的房子」、「車子要這個等級才說得過去」、「希望孩子能夠進這所學校」等等的想法就在這種情況下產生。換句話說，夫妻之間不必經過任何溝通，就默認了這種期待值。但是現在這個大前提已經崩潰了，所以大家必須從根本重新規劃自己的人生。

首先，自腦中排除基於中產階級意識所產生的期待值，以現在的價值來看自己在公司的未來發展性，以及今後收入增減的可能性，和妻子好好評估溝通、取得共識。例如，對於自己的未來，最好老實告訴妻子：「在公司的升遷或許就到此為止，年收入到百萬元已是上限，過了五十歲還有可能不增反減。」如果不說實話，就算重新為未來畫了一幅新的設計圖，也是錯誤百出。

夫妻在溝通當中，對未來看法不一所產生的落差，有可能成為未來糾葛不清的導火線。我認為夫妻之間的對話，會談不下去的最大原因，通常都是「共識失焦了」。

經營管理自己的生活型態

「如果收入減少了怎麼辦？」日本人就是非常不擅於用這種假設法進行對話。原因是平日不溝通，一旦是用假設法，就陷入口角。

丈夫說：「或許不會再加薪，不會再升遷了。」妻子可能馬上做口頭攻擊：「你滿腦子就是這種想法，沒出息！」、「真沒想到你是這麼窩囊的男人」、「你比你的同事A先生能幹，就是升不上去，真是奇怪！」就算妻子口氣不佳，做丈夫的還是應該實話實說：「因為A先生的業績比較好嘛！」、「我們部裡有個大我五歲的學長，工作忙得要命，薪水還是那個樣子。我或許會跟他一樣，也有可能比他還糟糕。」總之，夫妻之間必須以各種假設進行徹底溝通。

反過來說，如果面對家人三緘其口，不願意說實話，反而會漸漸走上不幸。現在許多家庭的晚餐時間，不但被電視霸占，甚至連餐桌上的話題也離不開電視。世界雖然很大，但是吃飯配電視的家庭恐怕就只有亞洲國家吧！同是一家人，卻不溝通、不維繫彼此的感情，真是一大不幸。

大膽地用假設話題進行溝通吧！以車子為例，「一般新車大約開個五年就換了，所以我想一開始我們買台中古車，或許也可以撐過五年，如何？」這種假設語氣可以改變家人的思路。「我們也可以選擇不買車，而用租車的方式。一年下來可以省下不少錢，家計方面就會寬裕很多。沒車所帶來的不方便好像也還好。」我建議不要在對話的一開始就下結論，設法誘導家人討論各種可能性。

對於孩子的教育也是如此。「勉強孩子補習、讀私立學校，真的是為了孩子著想嗎？」以此為引言，繼續討論下，家人或許就會明白，勉強孩子補習、上學費昂貴的私立學校未必是必須的。如果家人認同了這個看法，就會發現有一筆為數不少的錢浮出檯面了。如何有效運用這筆多出的錢，全家人可以集思廣益，彼此協商。

透過這種對話，我想妻子或丈夫對彼此的個性應該會更了解。例如談到車子的時候，妻子或許會說：「你說什麼！我最討厭這種輕型的中古車了。買這種車很難為情耶，我絕不會開這種車去買東西。」但妻子的個性可能原本就是如此。

對於孩子的教育，不管採取什麼對策，大原則部分應該都是夫妻雙方同意的。不管父親多嚴厲，只要做母親的寵愛，孩子就會馬上見風轉舵膩在母親身邊。所以對於教育方針，夫妻倆一定要有共識，以同一種想法親近孩子。

尤其是中下階層的人，對於有限的收入、資產、時間，更應該重新思考，才能夠過更充實的人生。因為可用的金錢及時間都是有限的。如果想在未來的時代裡活得更好，經營並管理自己的生活型態是絕對必要而不可缺少的。

偏見讓生活變得貧瘠

消費者無意義的偏見

在日本年收入六百萬日元以下的中下階層，以世界水準來講卻是上流階層。就算是待在美國，進入上流階層也是綽綽有餘。澳洲一世代的平均年收入（一家四口三萬澳幣約等於二百五十五萬日元）更只有日本的一半，但是他們的日子卻過得十分悠閒，一年裡有一個月都在度假。

為什麼日本中下階層的生活會過得這麼捉襟見肘呢？究其原因，如要一言之蔽之，就是重重限制及市場封閉所帶來的高物價，但是我認為日本人本身的偏見也是原因之一。

日本人的偏見滲透各個領域無所不在。就以東京的住宅價格為例。為什麼東京東側的房價就比西側的房價高出一大截。我們以大手町為據點，向西走十五分鐘是青山、六本木一帶，再稍微往下走是代官山一帶，這些地方全都是地價超高的高級地帶，但是從大手町往東走十五鐘的東陽町、木場，不論是地價或房租就只有西側的二分之一，甚至是四分之一，所以連首都圈的路線價格表，也就是一張充滿偏見的地圖。（參見一五一頁）

只要治安條件並不差，同樣的通勤時間，我當然選擇住宅價格或租金只要四分之一的高級住宅區。如果把偏見拋在腦後，以理智做合理的判斷，木場一帶成為高級地段的可能性就會大幅提升。選擇時不帶偏見，可以縮減通勤時間、撿到便宜租金的機會真的到處都是。中央線沿線也是大家口中的高級住宅地帶，但是只要親眼目睹過上班時段如煉獄般的慘狀，就會明白「高級」這兩個字，用在這裡實在是恭維。

日本的消費者常以無意義的堅持勒住自己的脖子，例如，草莓大小不一不買、甜度未達頂標不買，結果商品的價格就居高不下。另外，把櫻桃、哈蜜瓜裝在桐木盒子裡賣的也只有日本，而煎餅等之類的食品，外包裝更是一層又一層。連最後要丟在垃圾桶裡的東西也都得花大錢。日本消費者的神經質真的是特異到了極點。

最近無農藥蔬菜成了當紅的炸子雞。其實這些標榜無農藥的蔬菜，大都是用非指定農藥的其它藥品所栽培出來的蔬菜。如果真的不用農藥，超級市場就見不到一條條直挺挺的小黃瓜和一顆顆鮮艷的蕃茄了。真的要讓消費者吃得安心，超級市場應該直接販賣不灑農藥、彎彎曲曲的小黃瓜。可是店家說：「沒辦法，消費者不買那種小黃瓜」。消費者選擇商品的基準，完全不合乎邏輯。

日本的消費者是世界上最嚴格的消費者，但是換個角度來形容，也可以說是看法最狹隘的消費者。

例如，台灣的家具席捲全世界，但是在台灣從事手工家具的業者卻說「絕對不出口到日本」。理由是日本販業家具的公司太嚴格了；美國的公司也很嚴格，但是嚴格的方式，美日卻大大不同。

日本的家具進口商、販賣業者，不但會查看桌、椅產品的內側，還會把抽屜一一抽出來，倒過來查，只要發現一點點「瑕疵」就「退貨」。這對經手高級家具的業者而言風險極高，所以當然不賣給日本。

美國的業者也一樣會仔細檢查，但是發現有瑕疵或產品稍稍不齊全時，會說：「打七折吧！」這對台灣業者來說，雖有風險但可接受，所以就降個折扣賣了。結果美國的消費者就可以折扣價買到在看不到的地方有些小瑕疵的商品。

日本的嚴格，讓只有一點點小瑕疵的商品價值瞬間變成零，與此同時，也剝奪了消費者選擇的權利，這麼做根本毫無意義。業者堅持「連一點點小瑕疵都不允許」，再次顯現日本人偏執的思考模式。這和「不買彎曲的小黃瓜」一樣，都是日本人的一種偏見。這也是日本物價居高不下的一大原因。

充滿矛盾的狂牛症對策

在處理狂牛症問題的時候，日本人把日本人特有的「偏見」發揮到了最高點。二〇〇三年十二月，美國發現感染狂牛症（Bovine Spongiform Encephalopathy, BSE）的牛隻之後，日本政府即禁止美國牛肉進口，日本國內各媒體更大肆報導「必須檢查所有牛隻，否則會有危險」而引起騷動。

為此，日本成了美國各團體的拳擊沙包。其實動動大腦想想看就知道，日本會挨打是理所當然的。因為日本禁止美國牛肉進口在理論上根本站不住腳。

之前，日本發現了二十頭感染狂牛症的牛隻，這個數字相當於美國的兩頭牛（二〇〇五年七月），因為美國所飼養的牛隻數量是日本的一百倍，所以危險性也是日本的一千倍。姑且不論這個數字是高是低，為什麼「國產牛沒問題」，而「美國牛肉就有危險」呢？這種做法真的非常不講理，難怪日本會被世界各國視為「偏執之國」。

瑞士的做法是：「只要去除骨頭等特定部位就安全。」這才是理所當然的對策。

禁止美國牛肉進口之後，國內的牛肉價格即一路飆漲到最高點。牛肉對中下階層的人而言，成了高不可攀的人間極品。已經吃虧的日本消費者面對這種情形，照理說應該非常生氣，可是受到媒體散播「解除禁令讓美國牛肉進口是危險的」訊息之後，反而感情用事，傾向「反對解除禁令」。自己明明是被害者，眼裡卻只有「吉野家的命運」，而不知道用大腦想一想「為什麼國產牛肉沒問題，美國牛肉卻不行？」

政府相關單位其應該在牛肉製品上面標示清楚「美國牛肉，已去除特定部位」、「美國牛肉，接受和日本牛肉相同的檢查」、「國產牛肉」，然後讓消費者自己做選擇。所以日本的消費者應該提出疑問「相關單位剝奪自己的權利，全面禁止美國牛肉進口，莫非是為了圖利國內少數畜產團體的利益？」但是日本的消費者竟然未發表示任何憤怒，真是奇怪。

二〇〇五年十二月日本終於解除禁令，開放美國牛肉繼續進口。一連串的鬧劇讓全世界的人對日本人的偏見印象深刻。（編按：二〇〇六年一月二十日因限制進口的背脊骨部位被混雜進口，所以又再度下達禁令禁止美國牛肉進口，八月七日重新解禁。）

不相信自己舌頭的日本消費者

我認為世界上最好吃的牛肉是阿根廷的牛肉。但是阿根廷的牛肉並沒有進口到日本，所以知道這件事的人並不多。因為日本以口蹄疫為由，全面禁止阿根廷的牛肉進口至日本。為什麼不是只針對發生口蹄疫的牧場及鄰近周邊地區發出禁令，而是不分地區全面禁止進口呢？這種作法和處理狂牛症問題如出一轍。不管如何，反正在日本就是吃不到最好吃的牛肉。

以前曾經受澳洲牛肉協會之託，對日本的主婦進行問卷調查。現場我們準備了分別用日本牛、澳洲牛、美國牛做的牛肉料理，在不告知牛產地的情形下，請主婦們品嚐，並請她們回答哪一種牛肉最好吃。其中澳洲牛、美國牛，還各自分為草食牛及五穀雜糧飼養的牛。未做問卷前，聽說在澳洲，是以草食牛比較受歡迎；而在日本，因為以五穀雜糧所飼養的牛比較沒有腥味，所以人氣較旺。我們就用這五種牛肉，分別做成燒肉、壽喜燒、牛排做問卷調查。

結果，獲得壓倒性一致好評的，竟然是澳洲以五穀雜糧所飼養的牛，也就是主婦之間最不受歡迎的其中一個品牌。但是實際請她們吃過之後，她們卻異同同聲說「這個最好吃。不管是做成燒肉或是牛排，味道都很不錯。」不過，當我宣布「這是澳洲以五穀雜糧飼養的牛」時，她們竟然馬上改口說：「難怪我覺得有股怪味道。」讓我當場錯愕。果真是偏見的最極致表現。那一瞬間我真想脫口吶喊：「妳們的味覺有耳朵嗎？」

日本的肉牛，品種來自美國，餵食的五穀飼料也來自美國。為什麼就只有在日本飼養的牛才好吃？我真的不明白國產牛肉比進口牛肉美味的道理在哪裡。

真正享用過澳洲牛肉、阿根廷牛肉的人，絕對不會吃肥滋滋的神戶牛。日本人把霜降牛肉當珍品，但是在澳洲，大家稱這種油脂紋路像大理石的牛肉為大理石牛肉，並以「脂肪含量過多，有礙健康」禁止販售。

一般來說，日本的牛進入催肥期後，即以人工方式大量餵食，等牛像鵝肝一樣肥腴碩大之後才製成肉製品，讓消費者產生「油脂多就是味美」的錯覺，再以四倍高的價格賣給消費者。

最近澳洲開始製作迎合日本人口味的牛肉，再出口至日本。也就是說，和日本人養和牛一樣，持續大量餵食安卡斯種（ANGUS，在英國安卡斯州，經過改良的小型專用肉牛）的牛，把原本十二個月分的穀物飼料，擠在在六個月之內餵食完畢，讓牛肥滿地像鵝肝。然後讓霜降肉，也就是大理石牛肉，以「和牛」之名出口。我再重複說一遍，這種牛肉在澳洲是大家公認有礙身體健康、禁止販售的肉。

日本人的「國產信仰」

從牛肉的例子即可確定「國產品就是安全美味」的保證根本是零。但是不僅是對牛肉，日本消費者對於其它食品、製品，都有根深柢固的國產信仰。

我到澳洲的時候，聽說當地有「栽培適合日本人口味的蘆筍」，即對蘆筍出口國展開調查。結果發現這些蘆筍的出口地就是北海道的北連（北連農業合作社聯合會）。除了蘆筍之外，標榜北海道生產的馬鈴薯、花椰菜，事實上也都是來自澳洲。這些資訊可能有些老舊，根據我的調查，十勝葡萄酒因為只用日本產的葡萄釀製不夠香甜，還刻意混合保加利亞的葡萄一起釀製，或許現在更另外加混了桶裝葡萄酒。

我並不是要批評北連、十勝葡萄酒的意思，反而非常肯定他們所做的努力。問題是日本人心目中的國產信仰，以及和國產信仰表裡一致的偏見。當然，故意偽裝「國產品」企圖謀取暴利的話另當別論，不過我認為只要提供者的出發點，是希望將世界其它地方更價廉物美的產品提供給消費者的話，都算是崇高的商業行為。

又如，日本的玄蛤事實上幾乎都是北韓的產品。日本把來自北韓的玄蛤埋在日本的海灘「畜養」一小段時間後挖出來，再標示為「國產品」。因為如果直接標示「產地為北韓」，日本人馬上調過頭去不理不睬，所以漁家才會這麼大費周章。連趕海拾潮（趁落潮時到海灘捕拾魚貝類的遊戲）時，大家所看到的玄蛤，事實上也大都是從北韓帶過來撒在海灘上的。所以有人笑說，如果限制北韓籍的船隻入港的話，富津、金澤八景等地方就無法進行趕海拾潮遊戲了。

同樣地，來自中國的鰻魚，只要讓牠們在濱名湖游上一個星期，就變成了「產地為濱名湖」。二〇〇五年JAS法（全名為：關於農林物質規格化及品質標示合理化法）修正之後，規定每一種產品都必須標示原產地，可是「原產地」的定義本身卻有極大的灰色地帶，所以像玄蛤、鰻魚這種標示法，也就過關放行了。以前的做法是讓鰻魚在中國維持白燒（不沾調味料素烤）狀態，進口到日本之後蘸上醬汁再烤一次，就可以標示為「國產品」，簡直是把消費者當傻瓜耍。甚至在日本國內也有這種情形，例如但馬牛，在近江加工為肉製品後，就成了近江牛，在松阪加工，就成了松阪牛。

這種欺騙行為之所以會這麼盛行，原因無他，只因為日本人對產地有偏見。有名的淡路島洋蔥，事實上產地大都是在中國。這些洋蔥進口到日本之後，只是去掉泥土，再分級篩選大小而已。而壟斷日本市場的淡路島線香，也是在中國拌上原料、經過挑選進口至日本之後，再標上淡路島字樣而已。

日本茶尤其重視「使用國產茶葉」，但是日本企業卻在中國浙江省卯足了勁製造綠茶。為什麼這些企業就是不敢光明正大大聲說：「這些是在中國用和日本相同的技術所栽培出來的中國茶」？另外，在國產綠茶當中，不知何故消費者就是獨愛「靜岡茶」。事實上，大多數的國產靜岡茶都是在鹿兒島製造的。

看了上述這些例子，大家心中一定有個大問號：「日本真的有純正的國產品嗎？」以國產襯衫為例，衣料可能來自埃及或土耳其，價格便宜的，或許就是在中國生產的。釦子的部分，可能在菲律賓製造，但是加工縫釦子在日本進行。因此嚴格說起來，像這類的產品根本無法歸類是在哪裡製造的。甚至有的時候，整件衣服都在中國縫製，日本只負責把標籤縫上去。

國產電視也是如此。姑且不論一半以上的零件都來自台灣或中國，日本的消費者買電視的時候，就是會先區別國產或非國產，然後刻意以雙倍的價錢買下國產品。

在經濟無國界的時代裡，竟然還堅持非買國產品不買，真是令人匪夷所思。為了保護國內少數利益集團、少數喧鬧集團，灌輸消費者「國產信仰」，其目的是在阻止市場開放，這是日本政府的一種欺瞞手法。日本政府公然袒護少數利益團體，就是對全體國民不忠誠。對於政府阻撓全民過富裕生活一事，現在全體國民也逐漸有所警覺了。

拋棄偏見，生活品質大躍進

消費者在政府及業者的欺騙之下，被迫購買高價產品，所以生活不夠富足的中下階層之人應該站出來，強力要求：「請給我們購買更便宜產品的權利！」

到美國第三大連鎖零售店潘尼公司（JC Penney Company）走一趟，會發現澳洲、巴西製造的家具售價竟然只有日本的四分之一。澳洲的家具不但大量使用加工製成肉製品之後剩餘無用的牛皮，還請義大利設計師精心設計，所以給消費者的感覺非常好。最重要的是售價真的比日本便宜太多了。不僅家具高貴不貴，連窗簾、床罩、照明燈具等和生活起居相關的產品，全都非常便宜。

接著再到沃爾瑪或其它的零售店去看看，售價才四萬八千日元的DVD等廉價中國產品處處可見。

美國這個國家原本有非常嚴重的種族岐視，但是為了提升國家的活力，美國開放門戶，接受來自全世界各國的人，所以現在這種偏見已不多見。如果談及美國的中下階層為什麼可以過著豐衣足食的生活，我認為原因無他，就是美國人沒有偏見。例如日產FAIR LADY-Z，一九六九年一上市，不僅在日本大受歡迎，連在美國都擁有超人氣，大家還膩稱這款車是「Z－car」，讓原本來勢洶洶的歐洲跑車在美國完全賣不出去。接著馬自達的RX－7登場，把保時捷驅逐出境。現在韓國生產的汽車「SONATA」在美國的業績一路長紅，這款車的同級車當中，賣的最差的竟然是賓士。

美國的消費者以價格和品質選商品，只要「大致都相同，這個比較便宜」，就買便宜的。他們沒有偏見，只相信自己看到的、摸到的，和使用過的經驗。這一點和不看商品，只認名牌的日本消費者完全不同。

當然，日本的消費者當中，已經有人開始做聰明的選擇了。例如，年輕女性會利用網路購買「維多利亞的祕密」的商品。「維多利亞的祕密」是時下非常受歡迎的品牌，一件時尚胸罩才賣一千五百日元，只有日本名牌的十分之一，難怪聰明的女性都趨之若鶩。到紐約、洛杉磯走一趟，更會發現不僅維多利亞的祕密專櫃，連ZARA、香蕉共和國（Banana-Republic）等專櫃都擠滿了來自日本的女性消費者。

我認為日本的價格之所以會居高不下，有九成是政府和業界的問題，不過有一成卻是消費者個人的偏見所造成的。因此，首先是要拋棄偏見，下定決心「收入雖然減少，也絕對不讓生活品質下降」，並要求政府撤廢不合時宜的限制、排除無實際作用的流通業者，然後利用國際網路，盡一切可能以最便宜的價格買到優良產品。

只要累積了相當的經驗，相信連中下階層的人，都可以過著舒適而滿足的生活。

所得階層兩極化和中下階層的抬頭，是社會結構產生變化所造成的，但要提升生活的「品質」，卻不能仰賴社會結構，而是只能靠每一個生活者改變看法。

〔第四章〕

過好日子的處方

市場開放，生活產生「質變」

物價昂貴的真相

如前所述，美國比日本早三十年經歷「長期衰退」，在那段期間美國也和現在的日本一樣，不但所得階層兩極化，中下階層也開始抬頭。而美國之所以能夠擺脫長期衰退，其中一個最大的原因就是，雷根在任職期間中，徹底開放市場並放鬆各種限制。結果讓美國的社會蛻變成連中下階層的人也可以過著富足生活的「生活者大國」。

雖然以世界水準而言，日本屬於高收入國家，但由於物價太高，中下階層的人並無法實際感受到富足的生活。造成這種現象的根本原因，就在於日本市場的封閉性。

農業就是最典型的狀況，尤其日本的食品更是貴的離譜。我們把日本主要食品的零售價格和國際其它國家一比較就會發現，米是美國、新加坡的四倍、澳洲的三倍；麵粉是美國、英國、新加坡的二倍；牛肉是澳洲的五倍、新加坡、美國的四點五倍；連橘子也是一般國家的二倍至三倍，甚至比英國貴了五成之多。馬鈴薯、洋蔥等蔬菜也幾乎都是別的國家的兩倍。

圖表4-1 主要食品零售價格和其它國家做比較

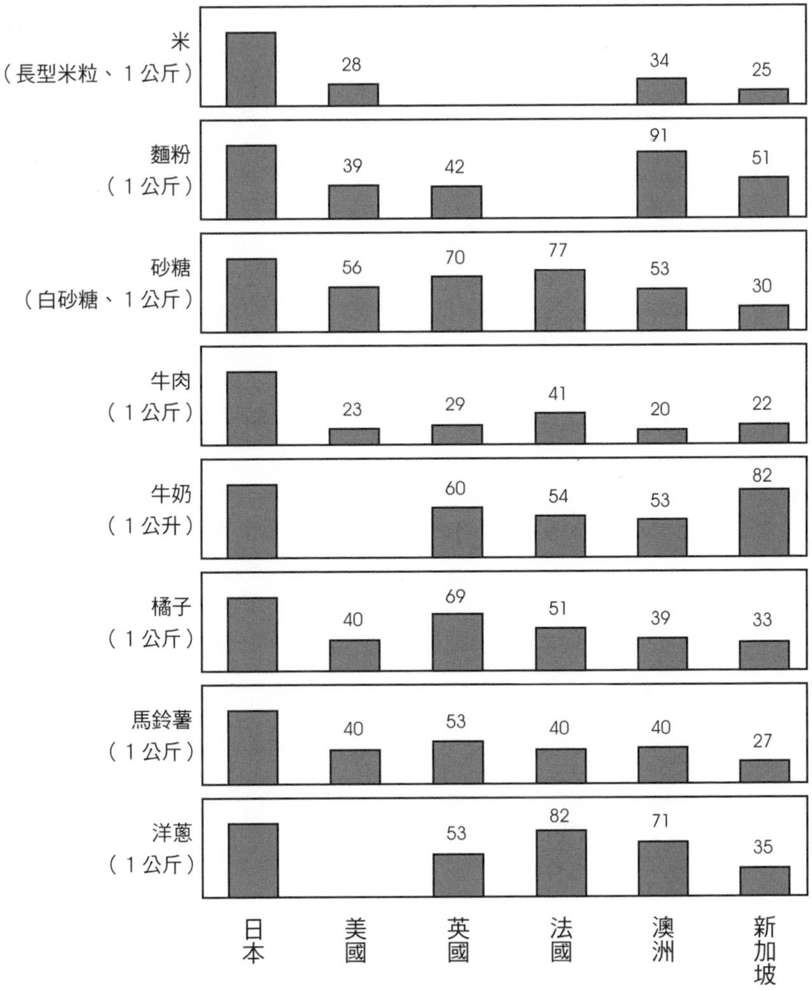

注：空白欄：無資料。以匯率換算各國貨幣。
原則上是以2003年10的數值為準，法國採2002年的數值，澳洲的數值則來自2003年3月。
資料來源：世界統計2005
資源出處：International Labour Office（國際勞工事務所）

圖表4-2 關於農業的各種比較

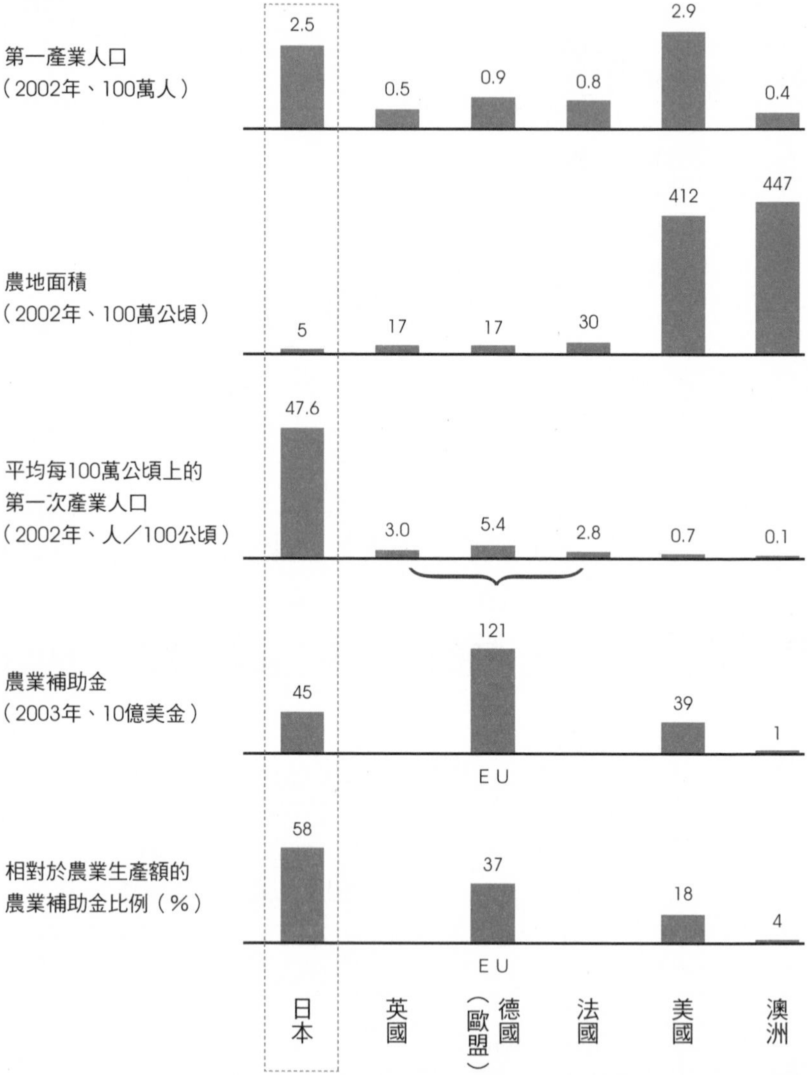

資料來源：FAO統計〈2004年農業政策瀏覽〉，經濟合作發展組織（rganisation for Economic Co-operation and Development）（Agricultural Policies 2004 at a glance）

這些食品之所以會這麼貴的原因，是因為日本的農業生產性是「全世界最差勁」的。

如（圖表4－2）表所示，日本在相當於美國八十分之一的農地面積上，擠進了和美國相同的農業人口；也就是說日本在平均每一百公頃的農地上所使用的人數約為美國的七十倍、澳洲的四百七十六倍。但是日本的農業補助金的絕對額不但比整個歐盟（European Community）多，相對於農業生產額的補助金比例更高達百分之五十八，名列世界第一。所以日本現在的情形，就等於政府拿補助金在養一群擠在狹小農地上的農家。

日本從一九六五年開始實施「土地改良長期計劃」至今，已經發放了四次以農業基盤事業費為名的補助金，（圖表4－3）。這些持續發放的事業費，至二〇〇六年的第四次計劃為止，所累積的投資金額，事實上已達七十五兆日元。

用七十五兆日元，可以買下澳洲絕大部分的農地，或者美國近六成的農地。如果把以嘉吉（Cargill，一家全球性的食品、農業和風險管理產品與服務的供應商）為首的世界四大穀物食品供應商的公司買下來，也只需區區九兆日元。由此可知，七十五兆日元是多麼龐大的一筆金額（圖表4－4）。當然，因為政治等等因素，要用錢買下世界穀物食品供應公司是不可能的，但是日本的農業投資方向的確是錯誤的。

不過，既然對日本國內農業投下了如此鉅額的資金，照理說就算開放市場，也不會對

圖表 4-3 土地改良長期計劃中的農業基礎整備事業費

（單位：兆日元）

注：第一～第三次為實際成果值
第三次為預算總額

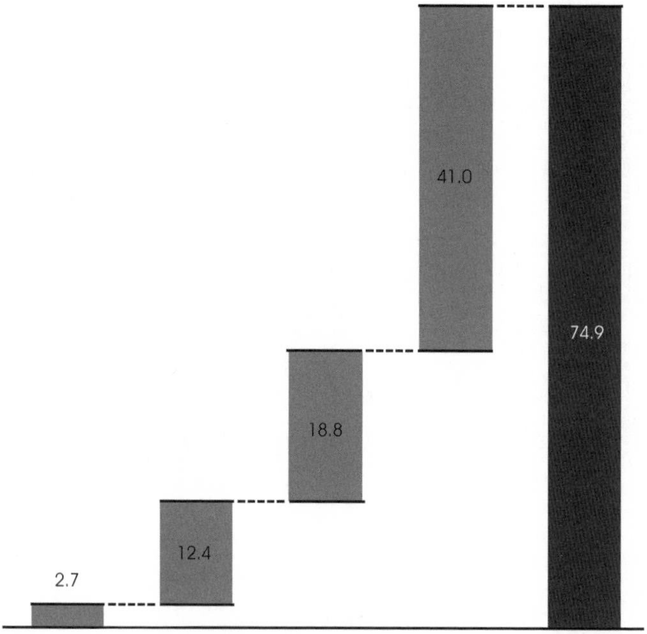

	第一次計劃	第二次計劃	第三次計劃	第四次計劃	累積投資金額
期間	1965～ 1972年	1973～ 1982年	1983年～ 1992年	1993年～ 2006年	
主要方針	・農業機械化	・發展高效能農業 ・重組農業生產	・實現富足的農業及農村 ・強化糧食自給自足	・建設高福祉農村	

資料來源：農林水產省

圖表 4-4 這些錢能夠買到什麼？

（單位：兆日元）

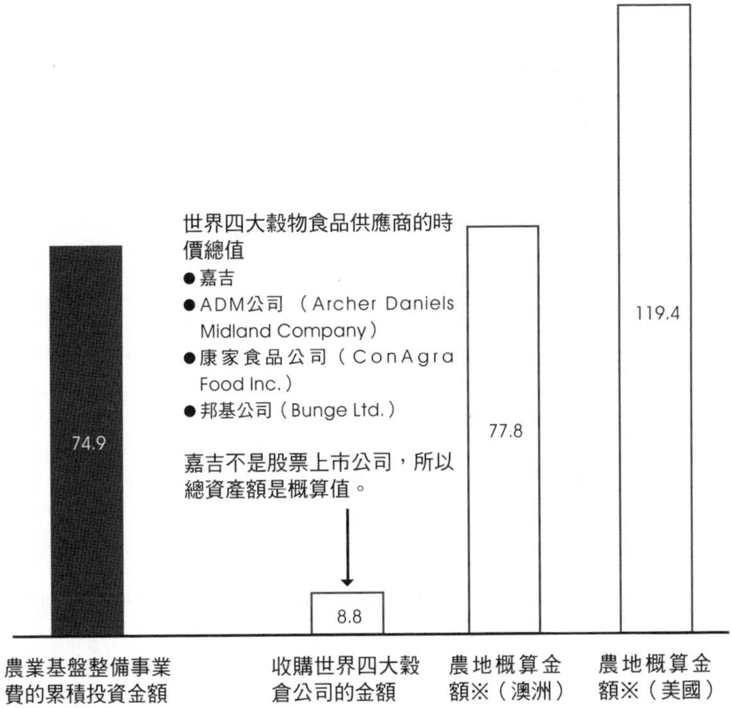

＊從第一次（1965～1972年）至第四次計劃（1993年～2006年）的累積投資金額
＊平均農地價額乘上農地面積後概算出來的金額。因為澳洲農地價格資料不明確，所以以美國平均農地價格的百分之十六進行估算。
資料來源：農林水產資料、FAO（世界糧農組織，Food and Agriculture Organization）資料、由BBT綜合研究所製作的主要米穀生產公司決算資料

日本農業造成任何衝擊，因為投下這筆資金的目的，就是為了提高日本農業的生產性。但是在4－2的圖表中，我們所看到的生產性，卻仍然非常糟糕。原因是農家以整頓農業基盤為由，把政府發放的補助金用來開設綜合建設公司（General Construction），建造比國道、縣道還華麗的農道賺取獲利。

結果，七十五兆日元的補助金除了造了些無用的東西外，對提升生產性毫無幫助；不但如此，反而讓日本原本就不佳的農業生產力變成全世界最糟糕的。到底誰該為這種悲慘的結果負責？現在那些被稱為農政族的人還在繼續要求補助金，而農林省甚至開始檢討是否要補償農家的收入。農林省這麼做，根本不是在補助農業，而是在漫天撒錢救濟農家。遭到公司裁員的上班族為什麼到現在還悶不吭聲？為什麼挺身站出怒吼的就只有我？

光在這十年裡，農業補助金就用掉了四十兆日元。既然這是一種企業投資，國人當然有權利要求投資報酬。所以以記者為首的媒體人，應該大聲問政府「用了四十兆日元，我們的農業生產性到底提高了多少？」、「已經準備開放市場了嗎？」

但是，傳播媒體一句話也沒說，民間一片沈寂無人表示憤怒，這就是當前的狀況。

土地可以進口

由於生產性惡劣，使得農產品在價格競爭上完全無招架之力，所以政府就用異乎尋常的百分之七百的超高關稅，保護種植稻作的農家。這些主張保護農業的人說：「物資進口一旦停止，事態必然嚴重，所以必須確保糧食安全。」但是只要稍微動動腦，就會知道這種做法根本不合邏輯。

如果自國外進口的農產品真的都無法進入國內，當然石油的進口作業也會踩煞車。日本的石油儲存量只有一百八十天份額，一旦石油停止進口，從第一百八十天起，全國的牽引車將停擺，抽灌溉用水的馬達也無法運轉。當然，卡車、鐵路也都會全面癱瘓，無法進行國內運輸作業。總之，沒有了石油，農業根本無法運作，所以「只要在國內種植稻作就可以安心」的想法根本是幻想。

提到確保糧食安全，其實只要在國外買土地種稻作就可以了，並不需要什麼都在國內種植。日本在澳洲、巴西等國開採媒礦、鐵礦，在印度開採液化石油氣（Liquefied Petroleum Gas）、液化天然氣（liquefied natural gas）。在工業的領域裡，投下資本獲得交易權是大家都認為理所當然的，所以在農業的領域裡也可以如法炮製。

我去澳洲視察水田的時候，發現一位經理人在六公里乘三十公里的耕作面積上種稻。也就是說這位經理人做了日本一戶農家所做的活兒。更令人驚訝的是，這塊稻田的稻米收穫量高達三十萬噸左右。日本全國稻米的年收穫量約為三千萬噸，所以光這塊田就可以有日本總收穫量的百分之一。

因為一位經理人就可以生產這麼多的稻米，所以如果有一百家同等規模的農家，就應該可以供應日本全國所種植的稻米收穫量。

在播種期間，他們會雇用三天左右的臨時工，拿著旗子站在水田的邊端做記號，協助飛機進行低空播種。在這之前，他們會先用電動堆土機的雷射光進行正確翻土，再放水入田裡。澳洲水資源非常缺乏，水利權的費用非常高，為了有效使用這些水資源，他們每隔一百公尺就會設一道斜坡，讓水可以流經整個水田。

到了稻子的收割期，他們會再雇臨時工，一起推著十台並列的打穀機，進行全天候二十四小時的收割作業。這些作業全由一個經理人打理，效率奇佳無比。

至於米的價格，這位經理人說：「一千六百日元，但是因為脫殼之後重量會減少，所以是二千五百日元。」與我同行的伙伴說：「並不便宜嘛！」但是接著聽到「這是一噸的價錢」時即瞠目結舌。因為他誤以為二千五百日元是十公斤的價格。澳洲生產米的效率是日本的一百倍，所以這個價格也應該是理所當然的。

和這塊田同樣大小的一塊水田，在澳洲的售價是六億日元。日本只要買一百塊這種水田，就足以供應日本人需要的所有米食，而且就算連運費成本一起列入計算，消費者還是可以用現在十分之一的價格買到下鍋煮飯的米。

我們在國外購買水田，就等於進口土地，所以在國外購買田地進行農地開發，便可以確保食糧安全。此外，我們可以將這些田地可以在分散全球各地，例如越南、泰國、阿根廷、加拿大、澳洲等地以降低風險，如此以來，食糧安全性又提升了一階。將來，我們還可將觸角伸至以肥沃黑土而享有盛名的烏克蘭。烏克蘭現在已經藉由品種改良，成功開發經過短期日照（四個月）便可收成的米。如果我們了無創意，只知待在狹小的國土上，守著有限的農地，地價、米價將永遠居高不下。

只要改個觀念，接受「土地是可以進口」的想法，生活就可以大為改觀。只要進口澳洲的土地，「國土狹小、地價高昂」的大前提就無法成立，地價當然也就跟著大幅走跌。尤其都市近郊的農地獲得解放，變更為住宅地之後，相信連中下階層的人也有能力購買一間住起來比較舒適的大坪數房子。

在經濟無國界的世界裡，必須要有這種創意。以這種創意訂立戰略，長期陷在衰退中的國家，才有機會架構新的繁榮。

一年所得就夠蓋一棟房子

泡沫經濟破滅之後，地價急速滑落。日本全國的繁華鬧區地價跌幅約為百分之五十，六大都市圈則跌了將近五分之一，連帶住宅價格也大幅下跌。但是以世界水準來看，日本的地價還是非常非常的貴。如（圖表4－5）所示，和世界各主要都市一戶住宅的價格比較起來，日本的住宅價格僅次於倫敦，為世界第二高。但是每一個人平均所分得的住宅地板面積卻小的可憐。日本的房子被稱為「兔子小屋」由來已久，現在絕大多數的人所住的房子仍然是又貴又小。

日本都會區的地價之所以會那麼高，和都市近郊還有農地存在息息相關。本來這些農地都應該被釋出的，但是日本卻反其道而行，在一九七四年制定生產綠地法，採保護政策，將都市精華區內超過五百平方公尺以上的農地指定為生產綠地。一九九一年修正生產綠地法，將受到保護的農地區分為農地（生產綠地）及住宅地。換句話說，被指定為生產綠地的土地，除了做為農地用途之外，是不可使用的。政府這麼做的目的，原是為了要壓

圖表 4-5 世界主要都市一戶住宅價格之比較

（東京：1億200萬＝100，以匯率換算）

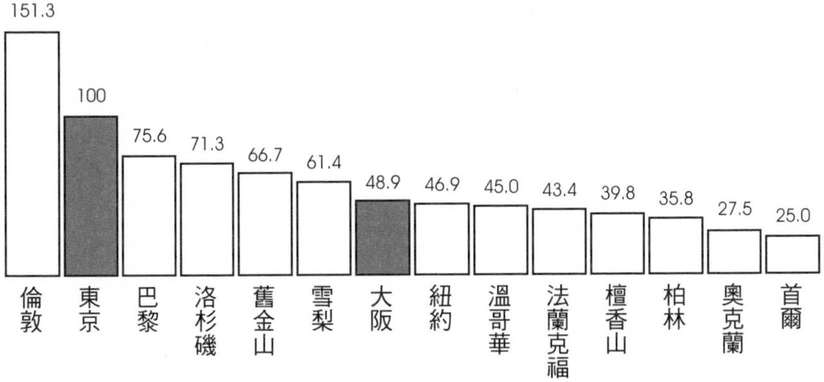

資料來源：日本不產鑑定協會「2005年界地價等調查結果」

各國一人平均住宅地板面積之比較（M2）

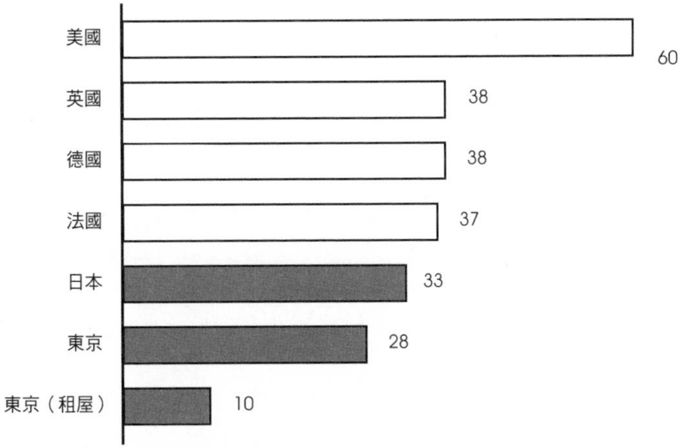

注：壁心換算值。但是美國的部分並不包括一間房子隔成幾戶合住的共同公寓。
壁心換算值：以牆壁的中心線進行測量所算出來的面積。受到牆壁厚度的影響，實際所使用的面積會比用壁心測量所測得的面積要小。
資料來源：住屋及大廈調查統計之歐洲公報，美國住屋調查，1998住宅統計調查 （Annual bulletin of Housing and Building Statistics for Europe. American Housing Survey.）

抑經濟泡沫化時一直飆漲的地價，才釋出部分農地做為住宅用地，結果卻讓都會近郊的農地成了固定的農地。

一塊被指定為生產綠地的土地，除了做農業用地之外，別無其它用途。但是聽說三十年後，如果這塊地無法再耕作了，自治體就可以收購這塊土地，而且享有優惠稅率。這種事真是令人愕然。

為了真正有效利用土地，政府應該施實「第三次農地釋出」，徹底放寬或廢除各種限制，及嚴格禁止都市近郊有農田。如此一來，就可提供許多可以蓋住宅的土地，並讓土地價格大幅降低。

當然，如果自澳洲進口土地種植農作物的話，在狹小的土地上從事生產力不佳的農業活動的都市近郊農家，將首當其衝被淘汰。屆時，將會出現大量的住宅用地，地價也勢必大幅下降。

一談論到這個議題，媒體馬上發出同情的聲音，抨擊「那只會種田的山間農家該怎麼活下去？」但是城市中的書店、餐廳倒閉的時候，卻沒聽到有媒體人發表同情論。其實這個情形和實體書店因亞馬遜網路書店的出現而被淘汰、大眾食堂因連鎖餐廳的出現而倒閉有什麼不同？在公司辛苦工作二十五年，卻遭到公司裁員的數百萬人，政府又可曾為他們做了些什麼？

有人錯把地價下跌解讀成通貨緊縮，事實上這是地價的「合理化」。從生活者的觀點來看，地價下跌、可支配所得提升，生活就可以更寬裕，被房屋貸款追著跑的人，更是大幅改變生活的品質。尤其是中下階層人口占了總人口八成的現在，地價下跌已經是成為「生活者大國」的必要條件。

另外關於建築物本身，如果可以直接從澳洲進口住宅，住宅價格至少可以降三分之一至二分之一。

澳洲的住宅是以類似2×4工法[2]的方式建造的，每一坪的建築費用是二十萬日元。蓋一間三十坪的房子，只需要六百萬日元。因為澳洲會有超大型的颶風，所以建築物都蓋得非常堅固。2×4工法的耐震，在日本阪神、淡路大地震（一九五五年）中大家都親眼目睹了。當時用傳統方法所蓋的房子倒了，可是以2×4工法建造的房子卻安然無事。

而且從澳洲至橫濱港的運費，以一戶房子所需的建材需要一個貨櫃來計算，是六萬四千日元。從橫濱港再把建材運到工地現場，雖然還需要三十萬至四十萬左右的港務費用、國內運輸費用等各種費用，但是還是可以以很便宜的價錢蓋一棟房子。此外，施工工期也只有短短的一個星期，要換棟房子真是輕鬆自在。「進口」土地，降低地價，自國外進口住宅，連中下階層的人都可擁有上流階層品質的住家環境。

官商利益共同體

但是受到日本的建築基準法的阻撓，日本人無法建造如同國外一般優質、便宜的住宅。因為日本的基築基本法中，有太多不合理的限制，導致建築物、建材無法自國外進口日本。姉齒建築事務所偽造建築物耐震強度計算書的事件[3]，即明顯暴露複雜的法律及認證業務，事實上只徒具形式而無實際效用。

而且在日本市場，玻璃、磁磚等建材及浴缸、廁所等衛浴設備，根本上就是由二、三家大公司壟斷。因為日本的市場在建築基準法之下形同封閉，而且內部沒有競爭，所以日本國內的資材費、建築費才會高的不像話。

至於建築物本身，只要合乎經濟合作發展組織（Organisation for Economic Co-operation and Development）的基準，在日本全數沒問題，我們可以自行選擇建築方式。在醫藥領域裡有所謂的相互認證制度，也就是曾在國外獲准上市的藥品，在日本也必須獲得日本的認證，而在日本獲准上市的藥品也要獲得國外的認可。但是建築物不像藥品會直接影響人體，所以不需相互認證，只要通過各國的基準審核就不會有問題。所以提供建築物的一方，只有義務提供必要的情報，其它則用建築物使用者自己判斷選擇。

從阪神、淡路大地震及新潟縣中越地震（二〇〇三年）的例子我們就明白，房子雖然合乎建築基準法，但是房子因地震、災害而倒塌的時候，政府是不會提供任何補償的。這些例子告訴我們，地盤（地層鬆動、液化）的問題遠比建築物的問題還嚴重。因為不管建築基準法訂得多嚴密，還是無法阻止大水因堤防潰決而流入家中。總之，我們就是得靠自己的能力確認資訊，並思考如何讓房子的價格和我們所要求的強度保持均衡。甚至連蓋房子的場所，我們也必須自己負責選擇。所以在買房子、蓋房子之前，我們應該先有一分認知，那就是建築基準法非但不能為我們帶來利益，還會因為費時費工，讓我們蒙上不利。

訂了各種規定，發生事情時卻佯裝不知，這就是政府的嘴臉。例如愛滋藥害的問題，政府雖然制定了血液製劑的認證基準，但是一旦發生問題的時候，就跟處理沙利竇邁（Thalidomide，於一九五八年以非處方鎮靜安眠藥在歐洲上市，主要用於減輕孕婦之噁心、嘔吐等害喜症狀，但卻不幸造成大量海豹肢畸胎嬰兒潮，而於一九六一年黯然下市。）問題時一樣，只丟下一句「責任歸屬不在國家」就逃之夭夭。政府非但不肯為法規漏洞負責任，還為了保護業者而制定各種規則，讓藥品的價格越來越高。中下階層的人看清了這個事實，應該憤怒挺身質詢。

其他像這種礙事的規則真的是多如牛毛，例如東京都的水道局（自來水管理處）。如果建商所使用的產品沒有通過日本自來水協會（JWWA）的認可，東京都的水道局即不讓新蓋的房子安裝自來水管。事實上日本大廠所生產的馬桶、洗臉台，在新加坡、中國等亞洲各地的販售價格，只有日本本土的四分之一。但是拿回日本之後，卻非得「取得自來水協會的認可」不可。同樣都是日本廠商的產品，為什麼在日本不能使用？我認為原因只有一個，那就是官商勾結一起欺騙老百姓。

對於衛浴產品的管理，我認為只要在漏水時，對製造廠商進行開罰，禁止該產品繼續販售就足夠了，根本不需勞駕自來水協會。罰則一出，相信那些受各種規則保護，而將價格昂貴產品賣給消費者的企業會立刻退場。

認證制度是為了養活公務員

日本的建築認證制度發展的非常遲緩。澳洲引進電腦輔助設計與製造（CAD/CAM）系統之後，取得建築許可只需要四十八小時。看過土地之後，到建商那兒走一趟，一說明完自己的希望，房屋設計藍圖就出現在眼前。最後只要決定「就是這個」就算告一段落了，接著建築許可兩天內出爐，建期一個星期，連購買家具的時間也一併算在內，兩個星期後即可搬新家。

就連新加坡的建築認證過程也已全面e化。以CAD把設計送進電腦裡，電腦馬上告你是YES或NO。設計這套系統的是日本公司，但是為什麼日本不用這麼套系統？這個問題真是教人百思不解。

某天，我和某縣辦事員們談話的時候，順口問：「日本為什麼不採用相同的系統？」他們立即面露不悅回答說：「那我們要做什麼？」因為縣政府裡的辦事人員，把在申請文件中找碴當成是他們的工作，所以一旦引進CAD系統，他們就沒飯吃了。此外，這些辦事人員也無法辨識耐震強度，所以他們所做的工作充其量就是「在素坏上燒釉」（純加工）及「找碴」。

換成人民來找碴

類似這種行政弊端，其實在我們生活層面無處不在。

以運輸為例，將住宅建材等從橫濱港運到國內目的地的運費，竟然是從澳洲運到橫濱港的好幾倍。原因何在？因為日本海港與其是說它是物流的據點，不如說它是利益掛勾的巢穴。現在以新加坡、釜山為首的亞洲各國海港，不論是處理貨櫃的速度或者是服務，都遠比日本港來得快、來得好。不但如此，港口的使用費也比日本便宜多了，所以日本海港蛻變成為亞洲物流據點的速度，理所當然就特別慢。

空中運輸也一樣。我們把國外旅遊和國內旅遊的費用拿來一比較，除了寒、暑假旺季另當別論外，就會發現兩者幾乎沒有什麼差別。而且到國外旅行，不但飛行距離較長，玩的天數也較長。總之，兩者之所以沒有什麼差別的的原因，就在於國外和國內機票的差額不大。

國土交通省非常現實，他們只想保護日本航空公司的利益，並未替乘客的權益著想。

水產業和農業一樣悽慘，日本政府同樣也以補助金的方式解決水產業的問題。現在（二〇〇五年七月一日），在全國被指定的漁港有二千九百二十四座。這些漁港的養殖量雖然增加了，可是漁獲量卻逐年減少，大半的漁港都已經不具漁港的機能了。

事實上，由於在中國養殖的魚大幅降低卸貨價，讓漁夫們必須把產自日本的魚品牌化，才能藉市場區隔混口飯吃。例如產自大分縣佐賀關的青花魚叫「關青花」，竹莢魚叫「關竹筴」。所以就算把漁港廢除或合併成五分之一的量，對日本的漁業也不會構成影響。但是為了漁業權和港灣工程，這些漁港還是繼續撐下去。

尤其是港灣工程，只要是漁港，國家都有定期預算，直接讓港灣建設業者受益。因此，業者為了能夠永遠擁有這種特權，即四下進行關說。總之，聽說大半的漁港因為巧立各種名目進行修理，所以港灣工程費竟然比漁獲量還高時，我們也只有愕然的份。

不僅如此，農林水產省及各都道府縣還認定「海和漁港是漁業關聯產業的一環」，使得日本海洋休閒悠娛樂事業格外薄弱。在紐西蘭、澳洲、芬蘭這些國家，每一家至少有一艘遊艇等從事海上活動的船隻，是非常普遍的。美國則是平均四世代一艘遊艇，不過這個國家面海的地區卻更為遼闊。但是在四邊環海、高所得的日本，「玩遊艇卻只是一小部分有錢人的奢侈遊戲。」

用網際網路查了一下價格，發現可載八個人的全新遊艇，售價只要二百萬日元，也就是說買一艘遊艇和買一台車差不多。事實上如果把停車費、維修費等和車子有關的各種費用都加上去，遊艇比車子還便宜。不過一般人對遊艇的認識是，檢查費、停泊費用高，可停泊船隻的地方不足，所以「遊艇只是一小部分有錢人的奢侈遊戲。」

總之，這種不切實際的規制，讓在其它國家眼中屬高收入的日本人，生活就是過得如此貧瘠。我個人認為這些規制其實只是在保障少數的利益團體，及制定這些規制的行政機關。

如果真的講究行政效率，只要留現有十分之一的公務人員就夠了。就因為這一點做起來有困難，公務人員就強行要全體國民接受毫無效率的認證制度，好讓自己工作正當化。今天的日本沒有可以開除公務人員的律法，但是養這些公務人員，不但浪費全民所繳的稅，還讓全民蒙受不利。

從中下階層躍向上流階層

物價早該下跌了

在日本年收入六百萬日元的人，到了國外就堂而皇之成了上流階層的一員（圖表4－6），雖然只是想像圖，但是以世界水準來看日本物價，年收入六百萬日元中，其實大約有一半是餘裕所得（除去生活上的必須費用，所剩餘較寬裕的所得），所以日本人應該可以過悠遊、舒適的生活。但是在現實中，因為各種保險、各種多餘的規制，讓日本人的生活成本居高不下，幾乎耗盡了可支配所得。

圖表 4-6 和世界各國比較之後的家計支出想像圖

（東京：１億２００萬＝１００，以匯率換算）

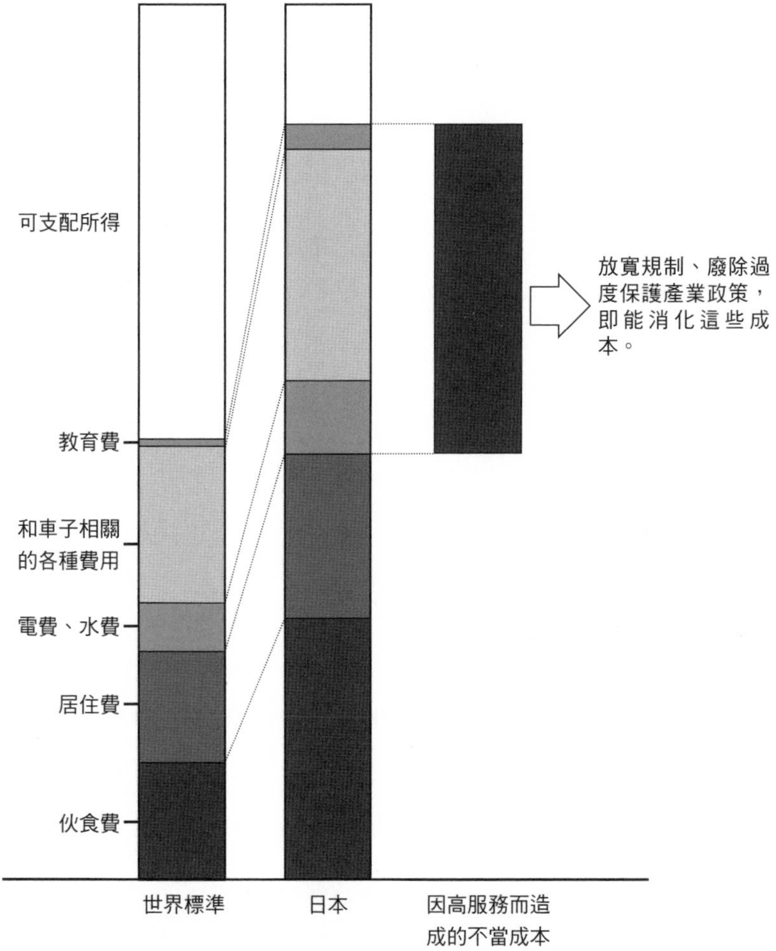

資料來源：《稅金是什麼？》大前研一著

反過來說，如果放寬限制、廢除對農業的補助金，日本和其它國家的生活成本差距就會消失，日本中下階層的人就應該可以過著和自己年收入相稱的生活。因此立志從政者的首要任務，就是把4—6圖表中的可支配所得還給老百姓。當然老百姓也有提出和政府對話、討論健全政治的權利。

讓大家的生活喘不過氣的主要費用，第一為食品費用。最大的原因是牛肉、白米等食品的進口關稅實在高的嚇人。所以只要廢除相關的限制，並在澳洲等地購買農地進行生產，食品價格就可以降到世界水準，就算不行，至少也可以像新加坡一樣。新加坡沒有一名農夫，所以才能自由採買來自世界各國價廉物美的好東西。

至於土地，地價之所以會不斷飆高，是因為都市近郊還有農地、工場、倉庫。只要徹底放寬或廢除不合理的限制，讓都市近郊做為休閒用的用地可以變更為住宅地，並自國外進口農地的話，我們就會有多餘的土地，地價當然也會跟著大幅下跌。

建築物也是如此，如果廢除礙事的建築法規，直接自澳洲等國進口住宅的話，含運送費用在內，蓋一間二十坪的房子，五百萬日元還有找。如果三十坪的房子，只需六、七百萬日元就蓋得起來的話，相信住在屋齡老舊房子裡、整天惶惶不安擔心「地震來了，這房子撐得住嗎？」的高齡世代，也會很灑脫地說：「這麼便宜就重建吧！這樣就可以安心住到死了。」如果大家都重建房子，還會同時帶來景氣好轉的次要效果。

至於國宅，我認識一位承包國宅工程的公司總經理曾說：「如果沒有各種規制，我有信心將每坪的建費降至二十六萬日元。」換句話說，只要將不合理的各種規制廢除，連國宅都可以更便宜。當然，想蓋一間有自己風格房子的人，每坪也只要花個六、七十萬日元就可以圓夢了。總之，最重要的是消費者都可以自己做選擇。

至於車子，車子本身的價格算符合世界水準，但是停車費、稅金、車檢費用、油費、高速公路過路費、車子維修費等等費用還是太高了。實施車檢制度的目的，是為了「確保車子的安全及預防公害」，但是車檢內容及手續對車主而言卻是耗時費神，所以大部分的車主都付高額費用委託業者辦理車檢。也就因為如此，大部分的車主對於愛車的簡單機械構造及應懂的檢查項目都不了解。結果這個讓車主備感棘手的車檢制度，就成了養活監理站人員及鑑別整修工廠員工的工具。

現在連賣車的廠商也來分一杯羹了。因為現在經銷商賣新車的利潤大不如前，所以就利用車檢撈一筆，完全不顧消費者的權益。本來車子的製造商應該為購車的消費者發言，爭取新車在五年內不需要車檢，沒想到這些製造商卻淪為特權團體，所以相關單位實在應該再次檢討什麼才是必須的檢查項目，而且還要提出省時、便民的手續。不少車子故障及事故，其實就發生在車檢之後，所以我認為車檢制度不是該修正，就是乾脆廢除算了。

以世界水準來看，日本的油價也是偏高。偏高的最主要原因是，根據進口規制，汽油自國外進口至國內必須繳交極高的稅金，所以一加上稅金，汽油的售價就居高不下了。

此外，高速公路原為民生的基本建設，應由國家統一維修並管理，所以究其本質根本不適合公團化或民營化。二〇〇五年十月道路公團民營化後，日本誕生了六家道路建設公司及一家獨立行政法人[4]。但是最好的方法，其實是取消民營化，將道路公團納入國家管理，民眾上高速公路一路暢行無阻，無需繳費。此外關於車子的稅金，我建議實施「汽車牌號課稅法」（Number Plate, License Plate，具體來說，就是自用車課稅一萬日元、計程車、巴士十萬日元、卡車三十萬日元），分十年償還公團的借款。

總之，公團不該民營化。就算高速公路不收費，將來公路的建設及維修費用，由國道預算支付也應該足夠了。如此一來，就不會有由上而下被迫執行命令的問題，而且只要訂定制度讓國民可以嚴格監控稅金的使用方法，就算不商議，道路建設費及維修費用也應該會大幅下降。

通訊對國民而言，也是一項非常重要的基本建設。但是礙於各種法規限制，新的通訊業者想要進入這個事業領域的門檻非常高，所以日本才會有NTT（日本電信電話公司）

等電信公司的固定電話費仍然居高不下的問題。而行動電話的通話費雖然調降了一些，也仍舊偏高。但是軟體銀行（Softbank）加入之後，寬頻使用費即節節下降，而且使用者可以二十四小時全天候上網，這才是理所當然的服務。

為什麼收費會有差距？一言以蔽之，其實就是規制衍生出來的後遺症吧！如果進入通訊事業的領域沒有門檻限制，行動電話遲早都會網路電話化，所以電話費應該仿效寬頻業者的寬頻使用費，採用固定收費制度。也就是說「將行動電話和固定電話網路（公眾交換電話網路，Public Switching Telephone Network ,PSTN）融合為一體（Fixed Mobile Convergence），任由使用者無限使用，一個月只算一種（行動電話或固定電話網路）的費用」。

至於水電、瓦斯等能源事業，現在雖然標榜自由化，其實也只是徒具虛名而已，如果真正市場自由化，水電瓦斯費應該會更便宜。

總之，如果每一個事業領域都能夠開放市場，讓國民可以自由選擇來自世界各地價廉物美的優質商品，即使身為中下階層的一分子，也不需擔心害怕。因為在美國，年收入五萬美金就是上流階層人士，到了澳洲，日本人更是可以堂而皇之躋身上流社會。

中下階層如何幸福

比日本早三十年經歷長期衰退的美國，進入一九七〇年代之後，經濟即走向低迷，失業率甚至高達百分之十。在這個過程裡，國民所得呈兩極化，過半數的人口淪為中下階級。在這段期間中，出身好萊塢明星的隆納德・威爾遜，雷根（Ronald Wilson Reagan）從一九八一年的一月至一九八九年十月，連任兩屆美國總統。

在外交上，雷根提出「大美國」說，走強硬路線對抗蘇聯，但是在內政上，雷根主張「小政府」。雷根上任後，大幅刪減社會福祉支出等等歲出，放寬限制、大幅減稅，重振美國人民精神，降低對聯邦政府的依賴，這就是「雷根革命」。

放寬限制的政策，主要是針對金融、運輸、通訊等三大事業領域。雷根讓金流、物流穿越國境自由移動，促進經濟無國界化，讓得以生存下來的美國企業在全世界握有舉足輕重的競爭力。此外，這項政策也讓全世界的資金湧入美國，為後來不花納稅人的錢，而用其它人的錢繁榮美國的柯林頓（William J. Clinton，美國第四十二任、四十三任總統）時代拉好了素坯。

雖然有一部分學者抨擊雷根的經濟政策，擴大了財政赤字及貿易赤字，但是不可否認的是，此一經濟政策確實讓美國自一九九〇年代到現在，都享有長期的經濟繁榮。

從一九八五年開始的新經濟，因為無國界化、數位化、倍數化而產生了一個新的經濟空間，但是美國因為雷根革命放寬限制、讓市場自由化，等於廢除了阻礙在新經濟空間中活動的阻礙。易言之，美國讓任何人都可以自由進入新經濟大陸裡。

此一結果，引發市場流通革命，並讓各事業領域都積極追求效率。

以零售業為例，為了因應過半數的中下階層人口需求，以沃爾瑪為首的零售折扣百貨業開始抬頭，百貨公司、超級市場則人去樓空而倒閉，讓一般人的生活費用越來越便宜。

住宅的領域也是如此。工法、工程大幅改變之後，以２×４工法建造的房子不但處處可見，而且又便宜又牢固。現在在美國，除了紐約等大都市外，把裝了自動門的兩個貨櫃併起來，就是一間擁有「三房一廳衛」的房子（大小比日本的三房一廳一衛還大上兩倍之多）。這間房子加上土地費用才二千萬元左右。

在日本，如果能夠一腳踹開繞著專利、認證許可打轉的傢伙，我們也可以輕輕鬆鬆擁有這樣的住宅。房子價格下跌，可處分所得大幅提升，就算是收入減少的中下階層，也可以過著輕鬆自在的生活。

如果有標榜小政府的政黨出現，對於住宅問題，提出「以CAD系統進行建築認證，只要符合先進國家認可的建築基準，就可以進口住宅」的解決方案，政權應該會立即變天吧！不管如何，只有這麼做，才能讓壓得人民喘不過氣來的高房價趨於緩和，並讓百姓能夠過著以世界水準來看屬於上流階層的生活。

別成為「提詞人種」

以上我所講的這些事情，都不是什麼大道理，只要稍稍進行邏輯思考就會全盤了解。因為這些全都是心動就可以行動的事情。

日本自民黨基本上是一個保護「以農家為首的各種少數利益團體」的政黨，也就是說，自民黨是一個為守護喧囂少數黨、公務人員既得利益而執行政策的政黨。另一方面，民主黨又因為勞動合作社在選舉時曾經力挺，所以也根本不可能有魄力對公務人員進行裁員。

在這樣的政治結構之下，政治家不想求變、人民也不期待政府能在規制上做必要的改革。但是是什麼原因，讓日本的政治變成這個樣子？全國的百姓似乎不曾用心思考過，更不曾向政治家表達憤怒。

日本人真的是世界上最奇特的人種，沒有自己的思想，沒有自己的感情，我稱這種人種為「提詞人種」。錄製節目的時候，有一個人會告訴在場的觀眾：「待會兒我比這個手勢的時候，請大家拍手。」這就叫做提詞。大多數的日本人都要透過提詞者的呼喚、提示才會拍手，才會歡呼。

例如要引進消費稅的時候，新聞說了一句「氣死人了！」，大家才開始你一言我一語表示「反對消費稅」。進一步問反對的理由，他們的回答是「因為這是增稅啊！」、「因為這麼做是違反公約的」，其實這些人對於直接稅、間接稅完全不了解。日本的稅收中，直接稅所占的比例過高，所以以理想的稅制來說，減少屬於直接稅的法人稅、所得稅，增加附加價值稅的做法是對的。雖然嚴格來說消費稅並不屬於附加加值稅，但是以大方向來說，這種稅制並沒有錯。（關於稅制的部分，留在下一章詳談）

其實心平氣和討論的話，人民絕對不會生氣。但是新聞一句「絕不允許政府引進消費稅」，全體人民就齊聲吶喊「反對消費稅」。照理說每個人碰到事情的時候，都應該自己動腦思考做判斷，可是日本人就只會隨媒體起舞，媒體人一生氣，閱聽人就瘋狂。

日本人似乎非常不擅於冷靜分析資訊自己判斷。這種事情我在一九九五年東京都知事選舉時曾經親身體驗。當時有兩個話題讓各大媒體卯足勁拼版面，一是是否要金援兩個瀕臨破產的信用合作社；另一個是是否要中止預定在臨海副都心舉辦的世界都市博覽會。

筑紫哲也（早稻田政治經濟學系畢。曾任為早稻田研究所公共經營研究科客座教授，《朝日日報》雜誌總編輯、TBS「筑紫哲也NEWS23」主持人等。）擔任先發投手，首先邀請來賓上他在TBS主持的「NEWS23」討論這兩個問題。筑紫哲也讓我和其它的來賓拿著「○」和「×」的牌子，對我們說「世界都市博覽會該進行還是中止？贊成進行的請舉『○』，認為該中止的請舉『×』。」

我認為「已經投入了九兆資金，如果貿然中止反而徒增損失，為了讓損失減到最小程度，最好是具體改變展覽內容後照常舉行」，所以這不是一個「○」或一個「×」就可以回答的問題。可是就在我想進一步做說明的時候，筑紫先生很神氣的說：「大前先生，什麼都不必說，請以○×做答。」

結果全部都答「×」的只有青島幸男先生（作家、作詞家、演員、參議院議員、東京都知事。）。結果，青島先生在選舉中獲得壓倒性的勝利。

如果新聞傳媒說「不要廢話，全部舉×」，我想全國國民都會感情用事，讓自己的思考能力呈靜止狀態，完全不去想「為什麼？」這也就是為什麼，思考能力呈靜止狀態，只會回答「總而言之就是×」的青島先生會當選的原因了。

拋開期待，自己行動！

選舉都知事那段期間，我花了將近一年的時間，針對以民營化、外包等手法重振財政政策，寫了《大前研一之新東京願景》，並在《文藝春秋》雜誌上發表。在這部著作裡，我詳述了各種可以解決高達九兆日元的公共債務的財務計劃。但是經常出入都廳的記者聯誼會的記者先生小姐們，對這些政策完全不感興趣。他們一開口就問：「你是無黨派的吧？最後你會支持哪個政黨？」、「你會和誰聯手？」等有關政局的話。看到他們所寫的新聞全是些「沒有政策的不毛之戰」，真是令人心驚膽寒。

這些新聞記者靠一枝筆寫新聞，可是他們的感情卻化身「提詞者」，煽動著國民的感情。結果，嘴裡說「某某某當選，我就去翻桌子」，卻一直待在家中不出門演說造勢，只知招待體育記者喝啤酒的青島先生，就靠氣氛在選舉中以高票當選。

但是青島先生當選知事之後，卻被都廳的官員牽著鼻子走。處理信用合作社問題的時候，態度一百八十度大轉變，投入大筆稅金。都市博覽會雖然喊暫停，但是為了支付違約金，反而讓赤字比舉行博覽會更嚴重。看到如此的「政績」，傳媒終於重砲抨擊：「他終究是個壞心眼的糟老頭」，並再度化身「提詞者」，激怒東京都都民。看到流彈從四方射過來，這回青島先採取的對策是充耳不聞不予回應。

看到這種情形，我真想大聲說：「這個人可是你們選出來的！」但是傳媒和都民似乎都是健忘的，當石原慎太郎（小說家，以《太陽的季節》獲芥川獎。曾為參議院、眾議院議員，一九九九年獲選為東京都知事。著有《化石之森》、《生還》等。）說了一句：「我施政歡迎大家來說不」時，他們又忘了自己的責任，再度一窩蜂往石原慎太郎身邊跑。

人民之所以會有這種感情上的集團衝動，是因為自己不動腦思考。這種體質基本上和「全權交給別人處理」是相同的。

記者不傳遞政策辯論的訊息，人民也不想聽有關政策辯論的議題，大家都抱著淡淡的期待，希望「早上一覺起來，最好什麼事都沒發生」。自己不採取任何行動，只希望一通電話，就會有人送東西過來，就會有人進屋來打掃，心態完全就像個住飯店的旅客。

大聲呼籲「不要停止改革！」的小泉首相，在耗費了七百七十億日元所舉行的大選中，獲得壓倒性的選票之後，未經仔細審核，就讓對全體國民毫無好處的郵政民營化案子通過了。小泉首相這麼做，只是打著「改革」的口號行政治之實，根本未考慮這麼做之後的利弊得失，以及可能會為自己帶來的後果。

在小泉首相的多項政策裡，我們嗅不到避免增加國民負擔的方法，也看不到因應中下階層需求的改革制度、符合生活者需求的政策（提高生活品質，降低生活成本）。雖然有淡淡的氣氛顯示不良債權減少了，景氣好像恢復了，但是事實上如序章所述，大多數的人檢視自己的生活狀況之後，並無實質的感覺。

但是，人民還是沒有提出疑問，還是不想自己動腦思考。所以對此事看得一清二楚的我才決定「按下清除鍵」，從政治面開始展開訴求。

因為在我的內心深處，還是希望大家看到所得階層兩極化、社會M型化之後，能夠自我改變，占總人口百分之八十的中下階層更能夠挺身對我們的政府及企業發出怒吼之聲。

如果中下階層的人可以擺脫「提詞人種」的色彩，動動腦、以少數團體立場，勇敢嗆聲的話，往好的方面來看，就是加速「質的變化」，而這也才是我們通往繁榮生活者大國的唯一之道。

1 一九九三年日本結束了自民黨的三十八年統治，崛起的新政治勢力，日本新黨標舉「生活者主權」，鼓吹日本成為「生活大國」，主張日本應從「生產者優先」走向「生活者優先」。

2 這是美國和加拿大所開發的建築工法，又名「框組壁工法」，基本上就是把建築結構用合板釘入以2×4寸（5×10cm）的縱面木材所做的框中，構成房子牆壁、天井等平面。用這種工法蓋的房子，特別耐震。

3 由該事務所經手的案子多達一百九十四件，國土交通省和各地方政府展開獨立調查後，查出偽造耐震強度的大樓，東京、千葉、神奈川三都縣共計有二十一件，旅館有十二件，總共三十三件有偽造嫌疑。

4 參考http://www.npf.org.tw/PUBLICATION/EC/092/EC-B-092-013.htm

〔第五章〕

這才是真正的結構改革

發掘改革的真相

「政治改革」是真正的改革嗎？

為了成為「生活者大國」，讓中下階層也能過著豐足的生活，必須去除僅為少數利益團體而設的規範與補助金制度，同時讓大而無當的政府轉變為小而美的政府。

此外，也不能以「地方分權」取代中央集權，而必須實現真正的「地方自治」才行。若在經濟上無法獨立，就不可能做到自治；不和世界各國買賣，使資本或技術進駐的話，也不會繁榮。不能拿本地稅金來用，而是從全球募集閒錢前來才行。為此而進行的競爭，必須由地方發動。所以，大前提在於必須轉變為在經濟上能獨立的「道州制」（地方制）。

不巧的是，由於中央與地方的財政赤字合計已達一千兆元，再加上伴隨「少子高齡化」現象而來的社會保險費用增加等因素，再不設法面對，整個社會就會進入沒有出口的「高負擔時代」。如果不能透過徹底的財政刪減，謀求政府與行政的結構再造，只會讓中低階層的人負擔更加沉重，日子愈來愈難過。

如前章所述，美國之所以從一九九〇年代以來能持續呈現榮景，是因為在一九八〇年代，雷根總統力主的「雷根革命」徹底做到了法規鬆綁以及財政刪減，成功構築起「小而美的政府」所致。雷根革命固然也有各種缺點存在，但至少法規的鬆綁與財政刪減，以及吸引海外資金投入美國的技巧，是我們現在必須看齊的。

日本在一九九四年的「政治改革」，實質上是選舉制度的改革，導入了小選區的制度，除了讓選舉不必花大錢，也讓一個選區只選出一人，所以標榜的是「政策辯論活潑化」。然而，雖然在此一改革下，各政黨開始可以依議員席次多寡獲得由全民的稅金支付的「政黨補助款」，但政治獻金與金權體質，還是一如往常沒有改變。

在政策辯論方面也是一樣，日本在二〇〇五年九月十一日的眾議院選舉是為了現在看來並非什麼大問題的「郵政應否民營化」而舉辦的，結果無論是最關鍵的民營化的內容，或是成為其他重要論點的年金、稅金等問題，都沒有進行什麼具體的辯論。小泉首相就像在玩圈叉遊戲一樣，只問了一句「贊成還是反對郵政民營化」；民主黨也是只講了一句「爭論點在於年金」來批評小泉，但是也沒有提出年金一體化[1]的具體方案。

結果雖然是由提出簡單算式「郵政民營化是對是錯」的小泉首相獲得壓倒性勝利，卻只讓我們覺得，政策辯論不是應該因為政治改革而活潑化的嗎？到底活潑到哪裡去了呢？

國民從中學到了小選區制的特徵「一個選區選出一位議員」，可能會因為受到當時的氛圍左右，而造成某個政黨獲得壓倒性勝利。當年的政治改革論者（小選區論者）小澤一郎與羽田孜，以及當時也認同此事的大多數媒體人，到底有沒有正確地理解到這種選舉方式，可能會在沒有政策辯論之下，就因為氛圍的左右而造成單方面壓倒性勝利？當時在《文藝春秋》等平面媒體中主張道州別大選區制而被貼上「守舊派」標籤的我，還真的是想問問這些人的意見。

二〇〇五年的眾議院選舉所花掉的相關費用，約為七百七十億元，差不多是一九八三年時選舉經費的三倍。為因應低投票率而延長投票時間的作法，增加了現場選務員的人事成本；還有，為勉強在當天開完票，也增加了人手。諸如此類，在在都花錢如流水。

然而，像這樣的費用問題，只要導入電子投票制度，就可以迎刃而解。

在全國導入電子投票系統的成本約為一百億元。一旦這套系統建立起來，接下來幾乎就不花錢了，可以反覆使用。只要使用按鍵式電話或電腦，就能在全球任何地方參與投票。打從二十年前，我就建議過這樣的方式。在一九九三年出版的《新・大前研一報告》中，我還曾以「八十三個法案」為名，一併提出其他的制度改革。

既然要改革選舉制度，就應該先做出這種毫不浪費的精準系統。雖然年輕人投票率一向很低，但只要導入電子投票系統的話，投票率應該就會大幅增加。

政府e化的真面目

目前行政ＩＴ化的最大問題，在於全國各地方自治單位都個別建造自己的電腦系統。雖然所有公務單位都聲稱，電腦可以讓公務的處理變得更有效率、更省力，情報也都資料庫化，因此可以提升對居民的服務品質。但事實上，如果民眾要前往公務單位辦理身份證、印鑑證明、汽車駕照、護照、厚生年金、健保等手續，卻還是必須前往不同行政單位或窗口辦理、等候，而且還得反覆填寫姓名、通訊地址、戶籍地址、出生年月日等相同項目。

之所以造成這種不便，是因為各單位都導入缺少相容性的不同電腦系統，使電腦與電腦間無法溝通所致。

這也就是為什麼所有自治單位都已經公務電腦化了，卻連電子投票制度都還實現不了的原因。

原本只要建造出全國共通的系統，讓各自治單位運用的話，就可以去除浪費的。但現實中，電腦系統相關的ＩＴ相關業者，一個個都變成了在網路上包工程的公司，為各自治單位做出不相容的系統，藉以謀取暴利。大家都很容易就陷入「ＩＴ化＝效率化」的錯覺中，但事實上現在這種ＩＴ化、ｅ化卻與鋪設一些無用道路的公共工程沒有兩樣。

例如日本的「住基網」2，就是ＩＴ化公共工程的典型。除在日本花費超過八百億日元的初期投資外，每年的運作還得花掉兩百億元費用。由於各市、區、鄉、鎮必須操作系統與管理資訊，公家單位的工作不但沒有減少而節省人力，工作量反而還變多了。

還有一點，花了這麼多錢，居民卻並未因而感到更方便。雖然宣稱「在全國任何地方都能拿到身份證」等好處，但由於戶籍等事項還是必須直接到人工窗口辦理，所以利用「住基網」的人少之又少，幾乎沒有多少人持有「住基卡」。就像在車流量很少的地方建設氣派的高速公路，還要為維護它而每年付出大筆金錢，可真是讓繳稅的國民們損失慘重了。大家之所以很少使用，原因在於護照、汽車駕照等其他手續都無法使用住基網辦理，所以可以把它想像成一條「無法變換車道的高速公路」。

好不容易把國民基本資料作成了資料庫，就應該讓全體國民都有身份證字號，同時除身份證外，也讓健保、國家資格之有無、婚姻狀況、稅金、出入境等所有資料，都統一予以管理。這樣子不管任何行政上的手續，都可以用家裡的電腦或按鍵式電話進行，便利度應該會大增。此事在前面提到的「八十三個法案」裡已有詳述。

在丹麥等北歐國家，這些作法已經很普遍。日本卻只是從原本的工程公司轉變為ＩＴ工程公司而已，只會和建設實體的公共建築物一樣，到處建造無用的系統。

當然，我所提到的這些有一項前提：為了預防當政者不當運用這些資訊，以及為了防止個人機密資訊流出，必須採用密碼或靜脈認證（以手心或指尖的靜脈分布狀況做為辨識的生物識別技術）、聲紋鑑定等雙重或三重的保全設施。

債留子孫的景氣對策

日本自一九九六年一月至一九九八年七月為止的橋本龍太郎政權，透過所謂的「橋本行政改革」，把明治以來不斷增加，到成為一府二十一省廳的行政組織，變成了一府十二省的制度。但這只是美其名為行政改革，事實上卻只是純然把省廳重新編制而已。真正的行政改革，應該要讓「一加一」變成「一」或「一點五」才行。像厚生省與勞動省合併為「厚生勞動省」，也只是「一加一等於二」而已，沒有變化。雖然省廳的數量減少了，但職員人數還是和行政革新前沒有兩樣，只徒然花掉搬家與重新印名片的錢，其他什麼也沒有改變（圖表5—1）。

圖表5-1 橋本行政改革中的中央省廳重新編制

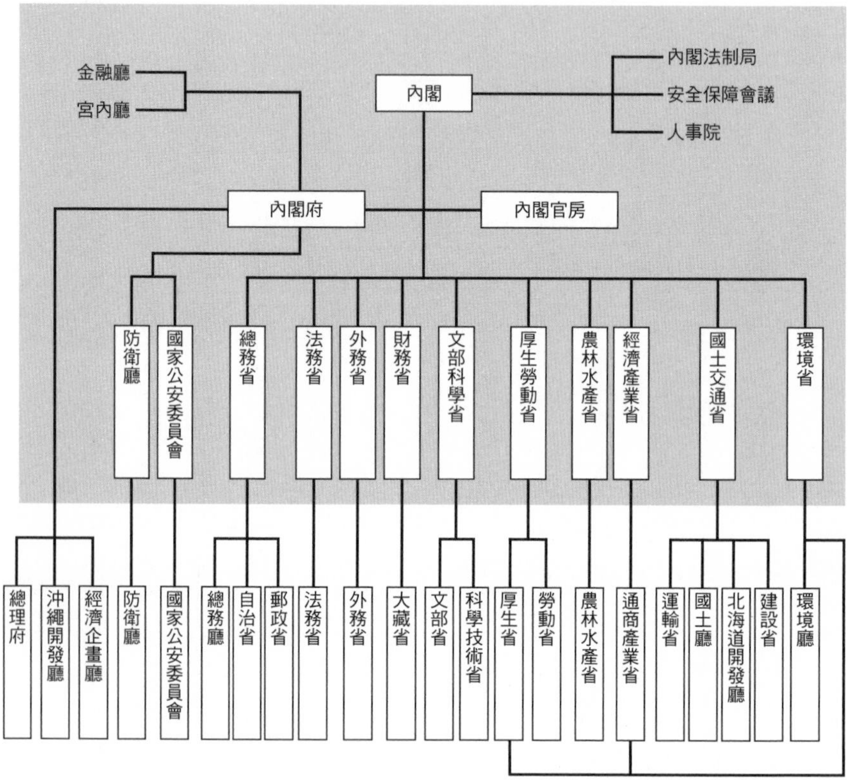

橋本內閣雖然制定了「財政結構改革法」，但把消費稅提高到百分之五，卻讓消費減少、景氣惡化。最後的結果是國家歲出因而上升、稅收因而減少，國家舉債也因而增加。繼任的小淵內閣（編按：小淵惠三為橋本龍太郎之後日本第八十四任首相，之後繼任者為森喜朗）凍結了此一財政結構改造法，發行逾百兆元的國債作為景氣對策。政府的借款如滾雪球般膨脹，景氣卻一如往常，沒有回復。

只稱之為「景氣對策」而撒錢到公共事業中，卻完全沒有進行能阻止日本長期衰退的法規鬆綁，以及真正有助於行政精簡化的ＩＴ投資等政策，也難怪會有這樣的結果。

日本的預算分配方式十分沒彈性，到現在次年度預算都還得看前年度預算的消化狀況而定，實在是全球少見的制度。即使說要大幅刪減公共事業費用，頂多也只刪個百分之幾而已，哪裡看得到「大幅刪減」？現在小泉內閣說要「公營轉民營」，宣示要減少百分之五的公務員人數。但公務員又沒投保失業保險，也沒有法律是以裁撤公務員為前提的，所以必須先解決這部份的問題。然而，怎麼可能要官僚訂定砍自己頭的法律？什麼法案也沒弄出來的議員，又能做什麼呢？所以說，即使「小而美的政府」口號講得再好聽，還是和改革相去甚遠，政府「根本無心改革」的真正想法，已經昭然若揭。

目前的現況是，幾乎已經沒什麼力量能遏止「大而無用的政府」了，政治加速了財政赤字的擴大，最後變成一種無從阻擋政府債務增加的狀態。

二〇〇一年四月開始執政的小泉政權雖然對外宣稱「不進行結構改造就無法讓景氣回復」以及提出「新發行國債要控制在三十兆元以下」的約定，但也只有第一年度做到而已。雖然根據財務省內部的數據，二〇〇六年度可望在睽違五年之後，勉強守住當年的約定，但看來在年度結束時，還是有很高的可能會超過三十兆元。而且，問題還不只是新發行的國債而已。由於要進行財政投融資改革（透過政府金融機構對民間所做的投資與融資），財務省的資金運用單位從二〇〇一年度開始，發行政府的有擔保債券（即財政投資債券）。大家可能容易忽略掉這個部份，不過其發行額度與新發行債券是同等規模的。

由於原本是財政投融資制度財源的郵政貯金或年金等預託金已愈來愈不足以支應了，為了找尋替代性財源而設計出來的這種財政投資債券，雖然名稱不同，但事實上還是一種公債。雖然沒有在指標中表示出來，但這種債務如果出了什麼問題，還是可能由政府來出錢，所以它其實是一種可能得由國民來負擔的債務（圖表5－2）。

把借換公債3也算進來的話，二〇〇八年就必須發行一百兆元的一批新債券。這是因為小淵政權當年大量發行的公債就要到期。這麼一來，為消化這筆債券，目前的零利率政策勢必得繼續下去。利率上升的話，公債暴跌的可能性就很高。即便如此，如果現在這種

圖表 5-2

政府的債務狀況

財政投融資資金的主要財源別的變化（兆圓元）

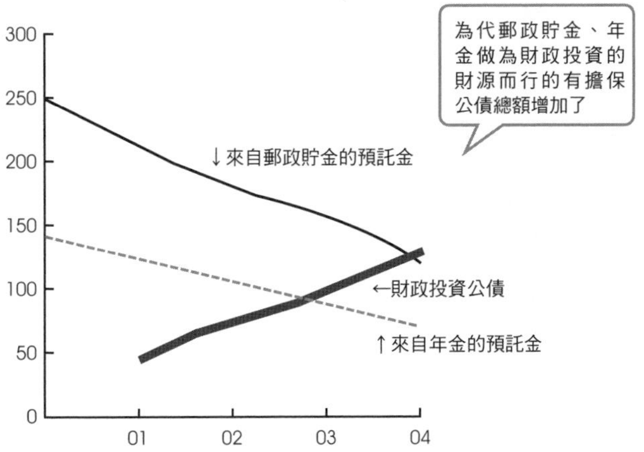

財政投資公債：資金運用部發行的，付政府擔保的債券
資料來源：財務省「財政投融資報告2004」

（兆圓元）

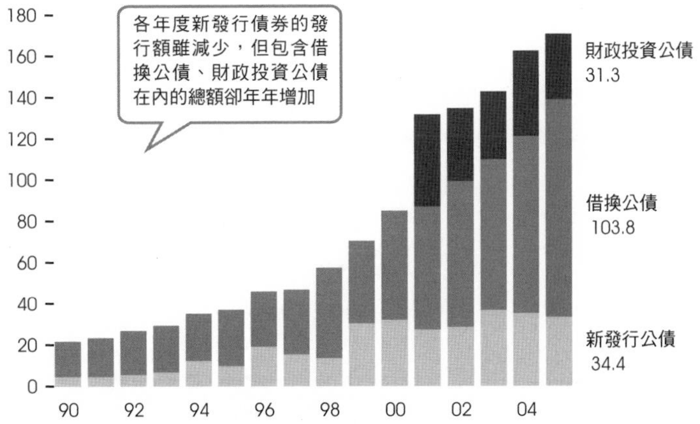

資料來源：財務省「公債發行預定額之變化」等

過剩的貨幣供給繼續下去的話，不動產等物件的高通膨，勢將再度造成泡沫經濟。就這樣，全體國民變成被迫要在這種毫無利多、一無是處的選項（選泡沫或選公債暴跌）中做出選擇。

即便政府首長說過，任內不會增稅，但這種話實在是沒責任到極點。執政者沒有說明國家會變得如何，又要如何去因應，反而講一些以「在我任內……」為前提的話，實在是荒謬。

政黨輪替，腦袋沒換

雖然日本在二〇〇五年九月的眾議院選舉中，自民黨與公明黨的聯合政權獲勝，小泉內閣因而得以延續，但我們來檢視一下，目前為止日本政府的改革到底做了些什麼。

小泉政權宣示了好幾項的「改革」，其內容如下所示：

◆特殊法人改革

要執行特殊法人改革的一百六十三個法人中，已經廢止了一百三十六個，大多數都轉換為「獨立行政法人」，但這種法人卻不過是另一批政府官員退休後前去擔任顧問的新溫床而已，這形同容許官僚「假退休、真謀利」。

◆公務員的飯碗既鐵又金

日本全國公務員人數約四百零四萬人。其中，中央公務員約有九十五萬八千人，地方公務員約有三百零八萬人（二〇〇四年統計），但在省廳與自治的公家單位外，事實上還有認可法人、特殊法人、獨立行政法人、行政委託型法人、公益法人等各種外圍團體存在。公務員改革如果不把這些外圍團體也包括進來的話，幾乎不會有什麼成效（圖表5—3）。

雖然目前重新訂出了要在二〇〇六年度起的五年間減少百分之五的中央公務員，以及在十年間減少百分之二十的二階段目標，但要真正以治本的方式改革公務員制度，還差得很遠。公務員並未投保失業保險。也沒有法律能讓他們失業，沒有方法可以裁掉公務員，要改革應該要先從這個地方著手。

◆統籌分配就是拿不到

所謂的三位一體改革，就是一、國庫補助金的改革；二、推動將財源移轉給地方；三、統籌分配稅款的改革。小泉內閣雖然推動了刪減國庫補助金（二〇〇五、二〇〇六年度總計二點八兆元），以及將財源移轉給地方（二點四兆元），但統籌分配稅款卻還留下可以調整的空間，讓人覺得三位一體「在實質上無法做到和以前不同」。再者，地方的課稅自

圖表 5-3 包括外圍團體在內的公務員、職員人數

公務員、職員人數（二〇〇四年）

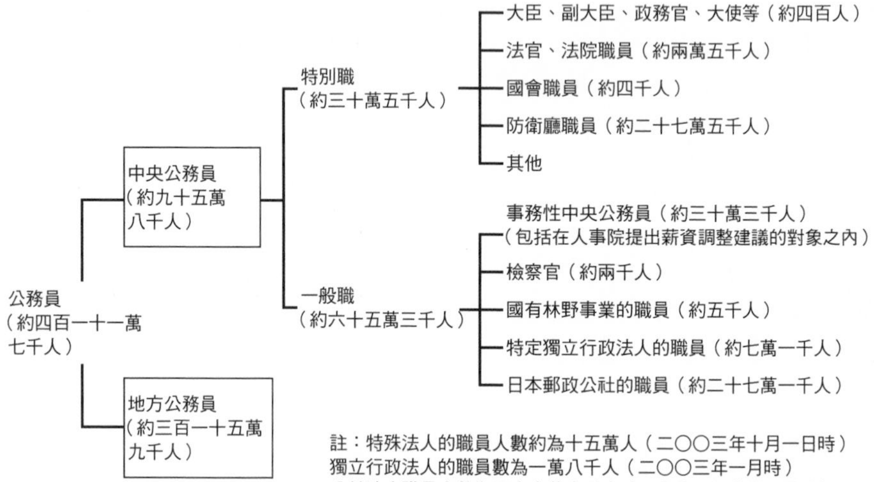

註：特殊法人的職員人數約為十五萬人（二〇〇三年十月一日時）
獨立行政法人的職員數為一萬八千人（二〇〇三年一月時）
公益法人職員人數為五十六萬六千人（二〇〇三年十月一日時）

行政金字塔

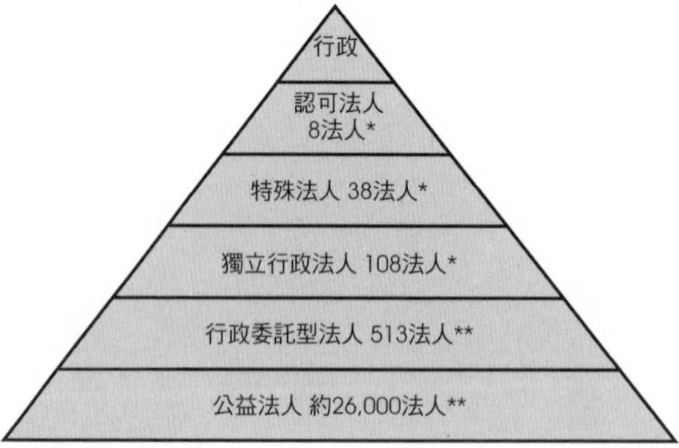

*二〇〇四年十月時
**二〇〇三年十月時
資料來源：公益法人白皮書、內閣官房行政改革推進事務局、公務員白皮書、總務省調查資料

主權也沒有獲得強化，這樣的改革幾乎沒有什麼意義。

更本質性的問題，在於統治機制的變更。如果地方自治的單位不是「道州」這麼大的區域的話，即使倡導財源移轉，也不會有具體成果出現。先改為道州制再來討論財源移轉才比較合理，但現在的作法卻是倒過來。

◆別以為你能領到退休年金

年金改革也是徒具其名，只針對國民年金與厚生年金保費增加其保費、減低其給付額而已。小泉政權接手後，就愈來愈遠離年金一體化的道路了。領取年金與負擔年金的世代間的差距，已經變得無法拉近了。

對上班族來說，虧損的國民年金一體化，當然是不利的。雖然「人人都採同一制」的想法很正確，但到底是要去除目前為止累積起來的差異，還是要保留某種程度的差異？是只看從今以後的部份，還是要溯及既往？只要還沒讓我們每個人都能了解這些選擇間的差異所代表的意義，事情就無法推下去。有人估算，年金所隱藏的債務，也就是要徹底實現目前的約定時，公共部門會增加八百兆元的負擔（看總額還差多少）。這樣的問題應如何因應？誰將因而蒙受損失？都必須要有具體討論。

有資源浪費問題的社會保險廳，原本應該是朝廢止的方向檢討才對，但卻變成朝分割為年金與保險兩個部門的方向而去。即使「社會保險廳」的名字消失了，結果卻可能讓問題變得比本來嚴重。

◆全國都該是特區

管制改革原本的賣點是「特區」[4]，但結果也只是稍稍放寬了一下管制而已，沒有什麼值得期待的成效。不僅如此，省廳對於公營事業開放民營的那種消極態度，實在是昭然若揭。如果直接講結論的話，「特區」這種想法，本身就很官僚。說起來大家都對此事視而不見。重點在於為何不能全國都是特區？為何只有局部地域可以自由行事？為什麼許可、認可與否，都還是由公家單位來決定？這些問題，非提不可。

◆為何銀行永不倒？

在金融再生計畫中，用於處理不良債權問題的對策，也不過是繼續維持超低利率，轉嫁到存款人身上而已。其結果是金融機構在體質上愈來愈依賴公債，銀行的國際競爭力也會愈來愈弱。

儲蓄因零利率導致無法生財，換句話說，就是金融機構為了讓自己生存下去，而奪走了存款人的財富。全體國民應該要生氣，應該要求讓這種金融機構倒掉才對，但他們卻沒這麼做。

「新經濟」開始至今，已經二十年了。不管企業樂意與否，都必須在網路以及無國界的新經濟大陸中參與激烈的生存之戰。然而政府或官僚卻一如往常，只認得舊大陸，只知道保護自己的領土以及少數利益團體而已，結果損及出現在新世界中的生活者的利益。

接著我們來檢視小泉改革視為「中心議題」、成為解散眾議院契機的郵政民營化，以及引起媒體大肆報導的道路公團改革。

◆為何郵局還在吸金？

小泉首相開始提到郵政民營化，是他還只是個新科議員的三十年前的事。誠然，三十年前的時空背景下，郵政事業仍有其價值，民營化是有意義的。但不可否認，時至今日，這樣的主張已經過時了。前電電公社（ＮＴＴ）的民營化就是個例子。一方面把電電公社這種公法人給民營化原本就是錯的；一方面它民營化之時，通訊業界的景氣非常好，才因而得已確保民營化所需之金流。但郵政三事業現在已完全失去事業應有的魅力，完全沒有改制為公法人或民營化的價值。

我在《思考的技術》中詳述過關於郵政改革的利弊，在郵政貯金方面，基本上有銀行等民間金融機構已經夠了，沒有必要普及到這種地步。假設予以民營化，由於它沒有取得或運用存款的能力，或是清償、服務的能力，勢必將無法以民間企業的身分存活下來。政府如果補貼它的話就另當別論，但應該不可能有這種事吧！這樣的話，它的錢就只能拿來買有擔保（其實原本應該是無擔保）的公債了。但公債在車站附近的證券公司就能買到，會有多少人好心到願意負擔郵政公司的費用，只為了買公債？

如果怎麼樣都非得弄個郵儲銀行的話，勢必只能彙整目前出現問題的所有政府體系的金融機構，成為一個貸款部門了吧？郵儲銀行專事集資，不設置貸款部門。三井住友銀行的前總裁西川孝文再怎麼厲害，也無法隨隨便便就出借兩百兆元吧！在政府體系的金融機構中，有集資能力的差不多也只有商工中金銀行而已，其他都是一些只知道借錢出去的單位。如果把二者合一，至少可以兼具雙方面的功能。

據說政府體系的金融機構，目前已經有超過十兆元的不良債權。雖然我覺得現實中應該還超過這個數字，但與其投入人民納稅的錢來處理它，還不如交由有存款人壓力的郵儲銀行來做還比較好。

然而，看到現在這些貸款部門那種不負責任的樣子，或許沒有人會想把錢存到郵儲銀行去吧！即便如此，如果沒有貸款部門，郵儲銀行就只能拿錢買公債了，這種用錢的方式還是一樣粗劣。

郵局的簡易保險也是，這樣的公眾服務至少在都會區是不需要的。在沒有金融機構的偏遠地區，也有功能類似的農會或漁會等單位，所以少了簡易保險也沒有什麼好擔心的。即使民營化，投保金額也有一千萬圓元的上限，缺少保險商品應有的魅力，所以很難以保險公司的身份生存下來。

結果，郵政儲金與簡易保險在民營化後，經營上都陷入困難，不是賣給外資，就只能拿納稅人的錢來救它。這種缺乏未來性的公司，原本就沒有人想買它股票，最後民營化很可能只是紙上畫餅而已。

此外，由於網路與手機簡訊的影響，郵遞事業所運送的東西愈來愈少，成了衰退產業。但根據萬國郵政公約，必須確保其為普及服務，所以除郵政儲金與簡易保險的部份外，就無法使股票上市了。唯一的可行之道，只有像我在拙作《平成維新》中主張的那樣，在國家援助下，以「日本遞送公團」的姿態，調整服務項目為綜合遞送「last mile最後

圖表 5-4 大前版本的郵政改革

郵遞服務以承辦普及服務的機關之姿改制為公法人，只負責將各支局的業務標準化並予管理，支局則視需要委託給民間，這樣就能提供人數少、效率好的服務。

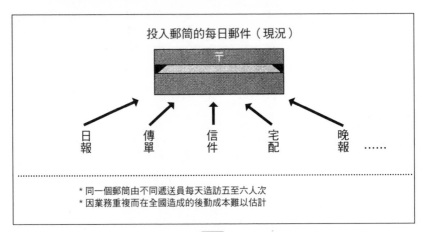

投入郵筒的每日郵件（現況）

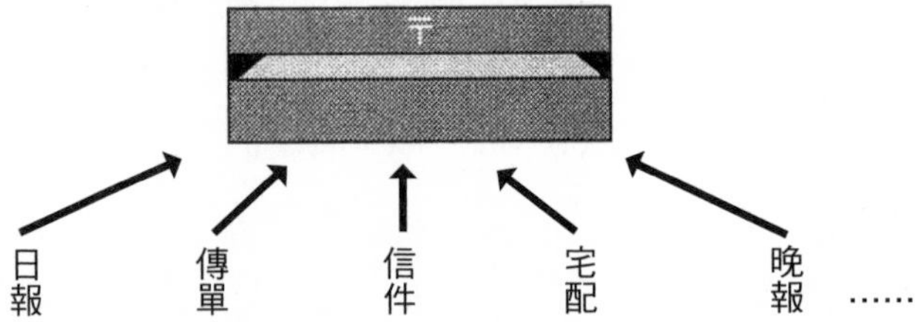

* 同一個郵筒由不同遞送員每天造訪五至六人次
* 因業務重複而在全國造成的後勤成本難以估計

新的彙整遞送體系（改革案）

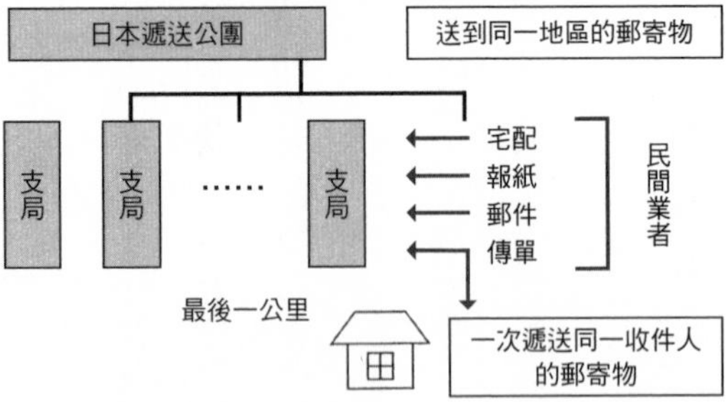

* 將郵局改制為公法人，提供最後一公里的普及服務
* 各支局可視需要招標委由民間業者辦理
* 遞送公團要讓各支局的作業標準化，並予以管理

資料來源：大前研一《思考的技術》

一公里」的各式郵件（圖表5－4）。

◆鐵公路該民營化嗎？

另一方面，二〇〇五年十月一日起民營化的道路公團，也在新公司的經營形態上充滿問題。成立一個繼承了四十兆元債務的新機構（獨立行政法人日本高速公路控股暨債務清償機構）本身就沒什麼意義，更何況道路本來就應該是拿稅金建造的。原本的道路公團應該只有解散一途的，卻依地域別成立了六家新公司。

可以拿來和道路公團的民營化相比較的，是前國鐵的案例。雖然大家都拿它當「成功案例」，認為國鐵在改制成JR之後，服務水準提升了，經營狀況也大幅改善，但大家可別忘了，清算事業團所繼承的二十八兆日元債務，最後還是由國民來負擔。最近雖有報導，這筆債務再加上NTT的債務一共已回收了十三兆日元，但單以國鐵的部份來說的話，大部分都還是國民來負擔。道路公團也走上了相同的道路，把巨額債務拖延到五十年以後。不過我實在很難同意，五十年後垂垂老矣的那些人，真的有能力與意願還錢嗎？

阻礙改革的結構問題

結構改造之所以裹足不前，是因為那些認為現在的結構比較有利於己的人，以及在現在的結構中獲得優惠、保護的人在阻止改革所致。

在一般企業裡，股東投資得愈多，就應該有相當於投資比例的股利，但事實並非如此。

若把國家當成股份公司，國民當成股東，然後把「負擔與受益」的機制做成圖表的話，就像（圖表5—5）那樣。對「國家」股份有限公司投資最多，也就是人數很多、繳稅也很多的，是民間企業以及在裡頭服務的上班族。以產業區分的話，是第二級產業與第三級產業的從業人員、大都市及都會區的居民。然而，發給這些人的股利卻極低，反而是人數較少、繳稅（投資額）也較少的公務員、既得利益團體、受保護產業、第一級產業從業人員以及非都會區的居民，獲得了較高的股利。

上班族等大多數國民並不會組織性地投票，是一群不會透過選舉直接施壓給政治家的沉默大眾。以股東的類型而言，就像一般小股東一樣；相對的，公務員或農業團體、漁業團體等第一級產業從業人員、受法規保護的產業團體等等，卻會在一到選舉時透過有組織的投票施壓給政治家。他們是一群「吵鬧的小眾」，以公司而言就像是優先股東一樣，接受各種優惠的措施。

不努力工作卻有保障的人

其中人數最多，既是「股份公司」的員工暨股東，而且享受著最好的優惠措施的，就是公務員。如前所述，沒有法律可以開除公務員，所以他們的身份完全受到了保障，不必擔心裁員問題。此外他們還有各種津貼以及年金的追增計算等等，在收入上也獲得優惠。高官退休後還可以擔任企業顧問，甚至可能領好幾次的高額退休金。整個機制就是這樣。

老師占了公務員的最大多數，一旦他們取得教師資格、獲自治體自治單位雇用的話，就一輩子獲得「教師身份」的保障了。就算他們再怎缺乏教學能力，或是被診斷出有身心症，還是很難被開除。

公務員以外也獲得身份保障的，是第一級產業的從業人員。

如第四章所述，日本為保護農家，對進口農作物課以高關稅，結果一般國民的生活成本因而變高。農家也實質受到了身份的保障。而且現在由於市場開放，也開始檢討所得保障制度的導入，不只專職農家，連兼職農家也成為保障對象。此外由於天災等因素致使農

圖表5-5 政治造成的負擔與受益間的不平衡

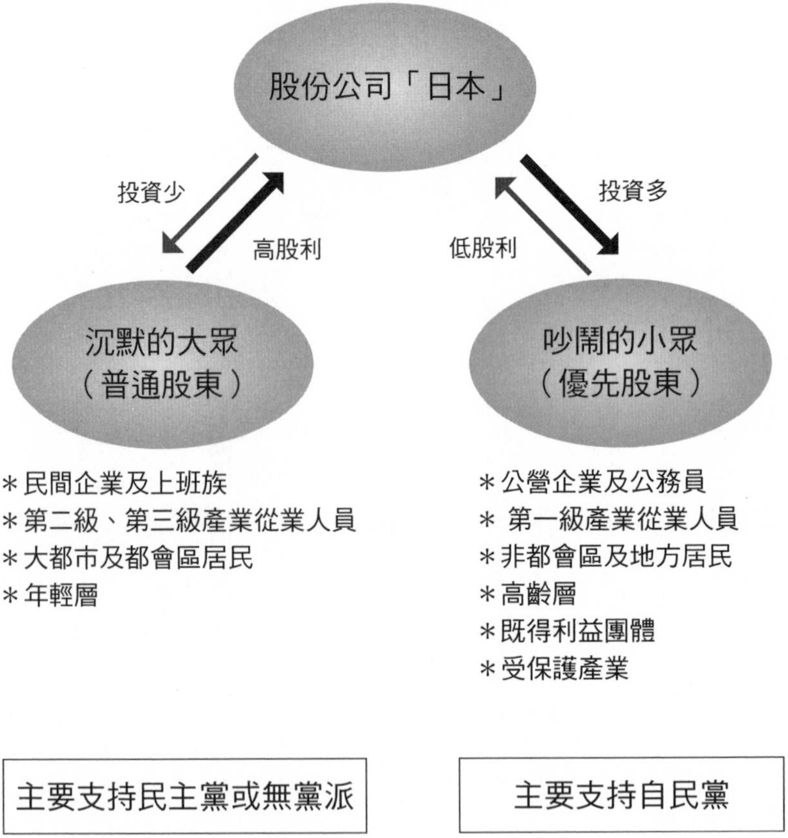

作物收成差時，還支付他們補償金。

漁業相關從業人員也一樣，他們因為有所得保障，致使不出海打漁也能有收入。這樣的機制目前正在檢討中。在其他國家提供給捕漁者的所得保障中，加拿大紐芬蘭島的鮭魚是其一例。這裡抓到的大西洋鮭魚很有名，但由於海況經常不佳，所以只要每出海捕漁兩天，就補償一週的收入，藉以保障生活。結果，捕漁人全都只出海最低限度的天數，漁獲量因而銳減。現在他們是向面對太平洋的智利進口鮭魚，再冠上大西洋鮭魚的名字銷售。

這是想當然爾的事，只要所得獲得了保障，任誰也不會想再工作了。

過去從北海道及東北等地到外地工作的寒冷地帶的季節工作者，在冬季雇用援護等制度的實施下，生活與雇用都獲得了保障。北海道的柏青哥店一到冬天就生意特別好，這是因為即使不工作也有錢可拿，所以大家都不到外地工作了，而跑到柏青哥店去玩。而工程公司的社長則是到沖繩打高爾夫球去了，所以冬天時札幌到那霸（沖繩的機場）的班機都會客滿。

我有一個在北海道從事住宅建設的社長朋友曾對我感嘆，他好不容易才開發出在冬天的北海道也能進行建築作業的工法，卻因為工作者的生活在休息下仍有保障，而沒人願意承接他創造出來的工作機會。

相對的，一般上班族遭裁員時沒有補償，經營者也是公司破產時就一切玩完了，根本沒有什麼保障。還不只這樣，向銀行提出個人擔保的經營者，會連自己的房子都保不住。但不負責任亂借人錢的銀行，卻又受到公共資金以及零利率無微不至的保護。

政府，不准亂花我的錢

不能讓大家都想做公務員

二〇〇四年度，日本政府的債務總值，包括政府短期債務、財政投資債務，以及地方及中央政府債務在內，合計達一千零三十三兆日元。相對於此，稅收只有區區四十四兆日元，而且還有八十二兆日元的歲出（其中有二十兆日元是國債費）。以一般家庭來比喻的話，就像是一個年收入四百四十萬日元的人，不但背負了一億日元以上的借款，每年含利息在內還必須支付八百二十萬日元。

債務之所以膨脹成這樣的原因，除了歲入減少之外，也和政府消費支出節節上升有關（圖表圖表5－6及圖表1－7）。

圖表5-6 民間最終消費支出與政府消費支出之演變

（名目數值、兆日元）

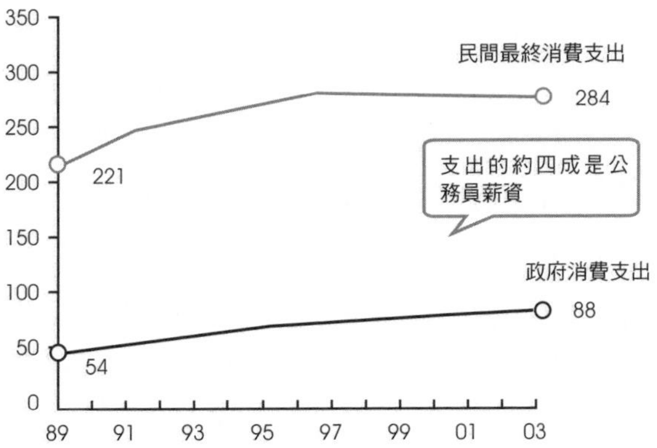

政府的債務總值

（兆日元、二〇〇四年度）

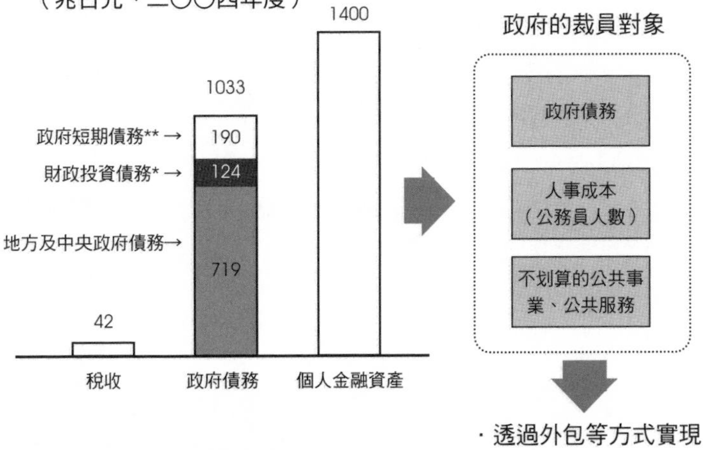

*財政投資債務：由財政融資資金特別會計發行，有政府擔保的公債
**政府短期證券、國庫券、財務省借款、存款保險機構借款之總計
資料來源：《國民經濟計算》（內閣府）

那麼，要怎樣才能讓這筆債務減少呢？首先非做不可的就是消化債務；接著是刪減占支出約幾成的公務員薪資，也就是透過減少公務員的人數來刪減人事成本；最後是收掉不划算的公共事業或公共服務。這三件事是政府再造的當務之急，相信沒有人會有異議。

首先，裁撤公務員的部份。公務員不但身份受保障，收入水準和民間的上班族相比，算是高水準。

過去公務員的薪資水準是比較民間企業來決定的，但進入一九九〇年代之後，就開始出現差距。如第一章所談到的，民間企業上班族的收入，在進入九〇年代後成長率就開始趨緩，從一九九七年起就變成愈來愈少。然而，公務員的薪資水準在一九九〇年代前半都還很高，一九九七年以後也只減少了一點點就停住了，所以和上班族間的所得差距就拉大了（圖表5－7）。

就算依企業規模來比較也一樣。和員工千人以上的大企業上班族相比，公務員的年所得還比他們高出四十萬日元以上。

但看看公務員每週的工作時間，民間企業是每週上班四十六至四十七小時的，他們卻只上班四十三點二小時，比人家少。即便如此，他們的年所得卻比民間企業的上班族還高，實在是很划算的買賣（圖表5－8）。更有甚者，他們還想盡各種方法要人家提高他們

圖表 5-7 官民間的薪資差距 歷年資料比較

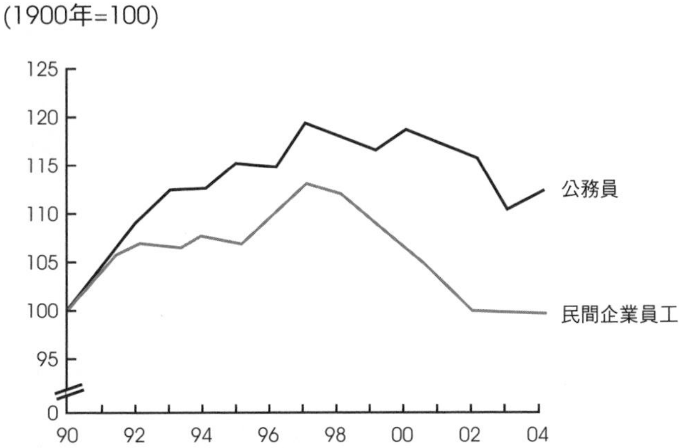

註：「家計調查」中，各家庭戶長的定期薪資與?金之總計
資料來源：家計調查年報（總務省）

圖表 5-8 從勞動時間與年收入之關連看官民間的所得差距

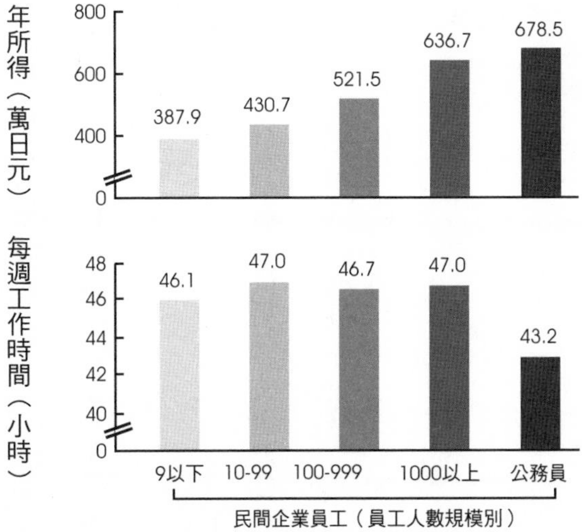

註：針對包括九百名公務員在內的一萬七千名工作者所做的調查
資料來源：Recruit Works研究所

的退休金。那些民間企業的員工會感到心理不平衡，也是當然的。

根據人事處所做的調查，目前在職的國家公務員之所以「想當公務員」的最大原因在於「不像企業會破產，很安定」（百分之六十三點五）（圖表5—9）。事實上日本也沒有能開除公務員的法律，所以一旦當上了公務員，只要沒有犯什麼重罪，就能一直保有公務員的身份。真可謂日本最大的利益與權力集團。

然而，雖然大多數人對此相當生氣，但似乎也想過「可以的話，要讓自己的孩子也當公務員，讓他過好日子」。在一項針對父母親所做的問卷調查中，問到他們將來想讓孩子從事什麼行業時，男孩子的父母親把公務員列為第一位，女孩子的父母親也把它列在第二位（圖表5—10）。

公家機關的「整數論」造成了冗員的存在

地方公務員的工作時間很短卻很閒。只要我們去觀察公家機關的窗口，會發現大部份的人看起來都一副無聊的樣子。

公務員之所以很閒的理由，是因為日本的公家機關充斥著「整數論」，設計成讓公務員無法一人兼任數職。大略來說，日本的公家機關約把零點三人份的工作分配給一個人做。

圖表 5-9

之所以想成為國家公務員的理由

（N=323人、%、複選）

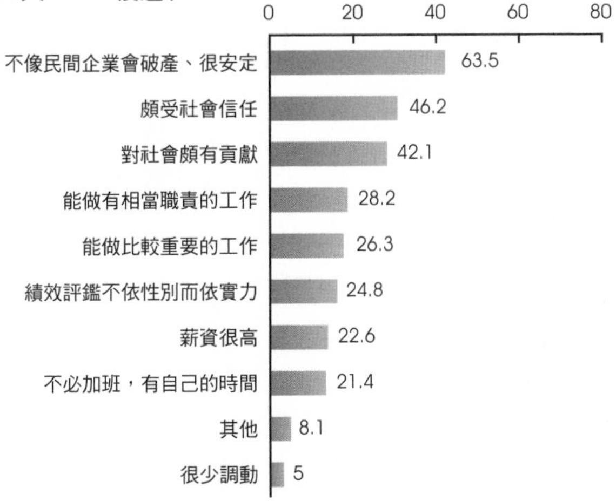

調查對象：二十歲以上男女五百人
資料來源：《關於國家公務員的觀測 問卷調查》（人事院）

圖表 5-10

將來想讓孩子從事的業種 前十名

男孩子的父母（%、N=2000）　　女孩子的父母（%、N=2000）

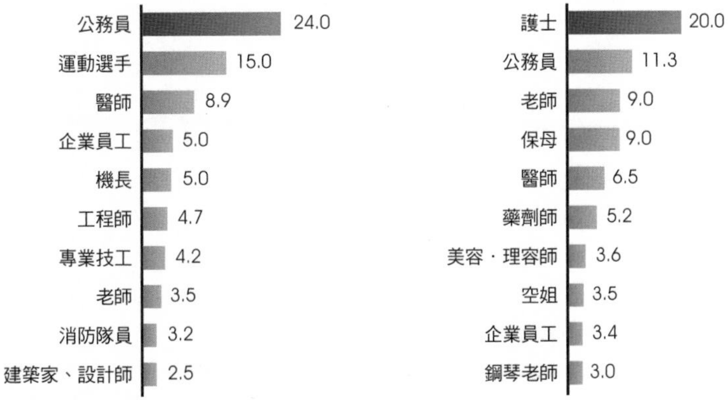

調查對象：孩子就讀小學一年級的父母共四千人、二〇〇四年調查
資料來源：「孩子將來想從事的職業、父母想讓孩子從事的行業」（kuraray公司）

即便做三份零點三人份的工作，一個人都還綽綽有餘，日本的公家機關卻主張需要三個人來做這些工作。

在民間企業裡，員工通常都有一人身兼數種業務的情形。工廠裡頭也是，理所當然交由一名「多能工」負責數種工作。但公家機關的機制卻非如此。

例如，我們到區公所去看看，會發現有民政課、經建課、健保課、社會課、兵役課等好幾個窗口，每個窗口都由不同人負責。這些窗口很少會有混合在一起的情形，所以即便要他們同時負責好幾個窗口的業務並不難，公務員們卻做不到。

舉個極端的例子，我們到一些東京以外的機場去，會發現即使飛往海外的班機每天只有一班，但出入境管理或海關的人員、警衛等等，卻都各自安排了人力。除了那班唯一的班機抵達的時間外，這些人到底都在忙些什麼呢？

像這樣的業務，應該可以要求警官或消防署的職員，或是市公所或圖書館、公會黨的職員取得資格，與自己的業務一起兼任就足夠了。

公務員如果可以多工化，至少可以減少為三分之一的人力。如果再把下述業務外包，將可有業務彙整的效果。至少除社福相關的員工之外，公務員的人數可減到十分之一。

九成公務員都該走

如果真的有心要做的話，透過ＩＴ化而徹底提升的效率，可以讓日本的行政單位以十分之一的成本運作。若把日本全國各市區鄉鎮的業務委託給一家公司的話，換住址或搬出、搬入等手續，就全都可以在同一台電腦上作業。由於民眾可以直接使用家中電腦辦理手續，各市鄉鎮村就不需要民政課的窗口了，對民眾來說也相當便利。當然，也可以使用按鍵式電話或手機來辦理。

圖表5—11顯示出這樣的機制。由於全國約兩千一百個自治體自治單位都是以中央（霞之關）為準的垂直組織，各地的業務內容都幾乎相同。特別是代中央政府執行的業務（法定受託事務、舊有機關委任事務），幾乎是全國相同。也就是說，全國各自治體自治單位大部份的業務，可以全部彙整起來進行ＢＰＯ（企業流程外包，Business Process Outsourcing）。反過來說，只要有一家ＢＰＯ公司，就能代替全國各地方自治體自治單位執行業務。至少在地方制的制度下，只要各縣市政府都能有一家ＢＰＯ公司的話，應該也就綽綽有餘了。

二〇〇四年時，日本地方公務員人數約為三百零八萬人，但業務中有九成是可外包

圖表5-11 將行政成本刪減至十分之一的方法

自治體自治單位業務的BPO示意圖

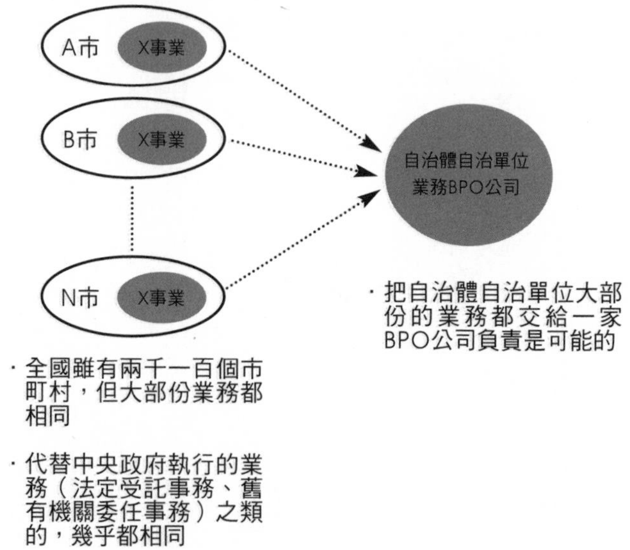

自治體自治單位業務BPO後，公務員人數變動示意圖
（萬人）

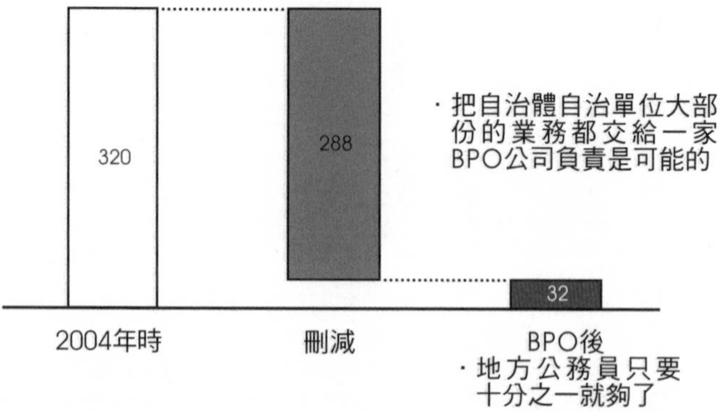

的，所以公務員也有九成可以裁掉。所謂的「小而美政府」，可以看成就是BPO政府。

目前外包給民間企業的行政服務，只限於業務流程中較屬保守、維持性質的部份而已。除了休閒設施或公園、市民會館、醫院或診所、老人設施等等的管理營運或電腦系統的保養等項目外，大概不出公家建築的警衛工作與清掃、可燃垃圾之收集，以及公家建築的櫃台或綜合導覽業務及電話接聽業務等。

這樣的話等於所有工作都由公務員全包了，幾乎沒有什麼可以交由民間辦理的。但事實上，從企畫到計算預算、設計、施設的建設，還有業務的經營或保養、維修、對此所進行的評鑑、回饋等事項等等，以及行政服務的業務流程，全都可能以外包。醫療、社福、教育等各行政服務的業務領域中，可以說沒有不能外包的。

日本在「管制改革、民間開放推展會議」中所報告，內閣府的「市場化測試推展室」進行的公務「市場化測試」中，社會保險局的所有事務性工作，以及保險費的徵收業務、求職網站（Hellowork）的職業介紹業務或年輕族群設施的營運、公款的決算業務、公共設施的保全管理等，全都由大企業前來應徵，提出新的服務內容。今後預計會暫時委由民間企業承辦行政服務，對於經第三者評鑑過後，認為由民間辦理較具優勢的項目，就實施民營化、委託民間處理。

雖然這裡的市場化測試僅限於極有限的業務領域，但只要真的有心進行管制的改革，推動外包的話，除了各業務領域可以有民間企業先後加入、降低行政成本外，服務本身也會更為向上提升。

當然，對民間企業來說，無疑是個很大的商業機會。

該民營化的政府業務

事實上，全球各地的國家或自治體自治單位，已經在推動業務外包了。例如，新加坡政府的內政部，就把入境管理系統委由全球性IT企業EDS辦理。紐西蘭政府社會福祉局的社會保險系統，也是委由EDS辦理。

已在推動中的是澳洲，政府把不動產的管理與人事外包，南澳洲省也把省政府的所有電算處理都外包出去。還有，維多利亞省則把人事管理業務委交民間企業、觀光局的觀光行銷業務則交由民間廣告公司等。

在美國的話，不難看到有監獄委由民間企業營運的例子，英國的諾丁漢郡也開始把監獄業務交由一家英美合併的企業辦理。

所以，只要能把各式各樣的業務外包出去，以目前的價值評鑑，再換算為金額的話，一樣可能減少負債。負債的減少，也可望能提升發行公債的國家與自治體自治單位的信評等級。

承接外包工作的企業只要帶著合作契約到銀行去就能借到錢，把這筆錢付給國家或自治單位才接工作。由於國家或自治單位每年都會支付預算（通常可訂的預算上限會愈來愈低），除了第一天有現金進帳之外，在行政手續上完全沒有什麼不同。如此一口氣把國家或自治單位的借款全部還掉，不但服務品質可以提升，成本也可以根據合約年年降低。一般ＢＰＯ都是這麼做的。

可能有人會說「裁掉公務員的話，失業者會增加」，但基本上業務的外包是把整個業務單位的人力與系統移交民間企業管理，所以即使透過外包裁掉公務員，失業者也不會增加，只是把業務全部委由受託企業處理了。承接的行政業務如果做得好，這些企業又可以擴大版圖，承接來自其他企業的業務，所以自然都會很努力去做。

此外，我認為駐外的大使館也可以一併外包。講到駐外大使，給人的印象就是「很了不起的人」，不過那只是國家的數量還很少、駐外大使館的數量也還很少時的刻板印象。除了主要國家之外，現在全球已有近兩百個國家，應該不是每個國家都有必須設置大使館或準備大使官邸，所以應該檢討是否能把絕大部份業務外包給綜合性的大型企業。

教師最該選優汰劣

在地方公務員中，人數眾多的事實上是教師（圖表5—12）。以部門別來看地方公務員，三百零八萬人中，教職員就占了一百一十五萬人。然而，由於少子化的趨勢，生育人數已經減少，學校老師卻和其他公務員一樣，沒有制度可以要他們走路。

即使，在某一地區有百分之十五的教師都有身心障礙的問題，但由於不能開除他們，只好搭配其他老師兩人一起教學，變成要花雙倍的成本。

被這種老師教到的學生也感到很困擾，但行政系統卻有個最大的特徵，就是完全不顧接受服務者（孩子們）的感受，只依自己的方便與否強行實施。

只要取得教師資格，就能一輩子保有。但若能在不適任時予以開除，讓當事人自己找到更適合他的其他職種，不但對他們好，也對學生好。

若能將教學IT化，至少可以讓用於教授知識的老師人數，減少到十分之一。我在日本首創運用網路、完全採遠距教學的網上研究所，由於是最優秀的老師來教，所以教學品質自然提高，學生們不管在全球哪個角落，都能依最適於自己的步調來學習。由於網路也

圖表 5-12 **地方公務員依部門別的職員數**

（2004年4月時、單位：萬人、總計三百零八萬人）

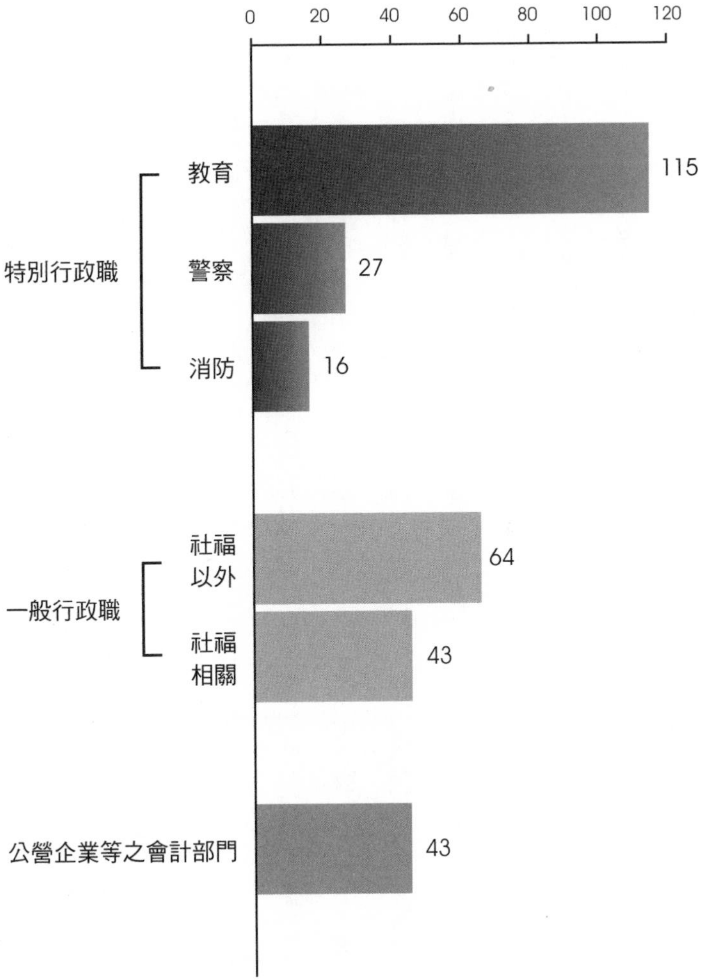

資料來源：總務省

能細膩因應學生們的個別問題，效果很好。

只要以相同於此的方法，例如把高中數學交由河合塾等教學方式最好的老師來教，再把教學內容透過網路向全國播放就行了。事實上，這種「超人氣」的老師只要透過衛星播映，就能有每年一億日元的報酬。全國只要有一名數學老師就夠了，一年給他一億日元實在是太划算了。

其他老師則進行輔助教學，只要協助每位學生發揮創造力即可；或是在目前為止的教育中教得很隨便的道德教育以及指導畢業後出路等層面，把學生教好就行了。教師的工作原本就不是要囫圇吞棗地照著學習指導要領的內容去做，而是要協助學生成長，讓他們成為能自立的社會人。透過這樣的改革，老師們不會失業，只是回到原本該做的工作而已。

即便如此，教師人數只要目前的三分之一，應該也就夠了吧！

如果只能改革一件事

如果有人問我：「如果只能改革一件事，要改哪一件？」我會毫不猶豫回答：「教育」吧！

現在，全球正進入一個由像比爾．蓋茲那種天才就能影響整個經濟的時代，也是人才競爭的時代。**在此所謂的人才，並非一般人所講的「會讀書的孩子」或「別人說什麼他就照著做到好的孩子」。這裡講的是「能以自己的力量思考、行動」的自立型人才。**他們必須有能力在新經濟「看不見的大陸」上，自己開拓未開發的大地。

現在的學校教育，卻大量產出在新世界中完全無法成材的學生。為了讓日本跳脫長期衰退，開啟全新的繁榮道路，也一樣該把教育改革視為最重要的議題。

中低階層如果想以全球水準享受合於自己所得水準的上流階層生活，就應該學習與實踐美國在一九八〇年代流行的法規鬆綁、經濟自由化等作法。至於教育面，我認為應該向北歐學習。

北歐社會的高齡化趨勢發生得比日本還早，一九八〇年代時外界稱之為「自由性愛」與「無成本競爭力的高社福國度」，屬於經濟不振的那種國家。一九九〇年至一九九二年北歐發生金融危機，實質GDP成長率甚至掉到負值，芬蘭在一九九一年還掉到負六個百分點。

但其後就像手機業者諾基亞那樣，北歐國家以IT產業為中心，成功上演復活戲碼。北歐四國的各種國際競爭力都遠勝日本，還進入全球前十名（圖表5—13）。

之所以能如此，根源就在於北歐各國的教育。

這些國家的教育嚴禁用「teach（教）」這個字，而要講「learn（學）」。所謂的「教」，就是以「有答案」為前提，由知道答案的人來教別人。但在二十一世紀的現在，世上卻充滿了沒有答案的問題。所以北歐不用教的，而貫徹「要孩子們自己學」的想法。

丹麥的學校教育相關人士就表示，丹麥的老師最感到欣慰的就是，「全班二十五個學生，每個人都回答出不同的答案」。

自己思考、自己找答案。這種能力正有助於在現實社會中立足。所以培養學生的這種能力，才是真正的教育。

北歐各國特別注重ＩＴ教育、英語教育、領導教育、創業家教育等課程。創業家教育會從幼稚園開始就讓孩子思考：如果自己要開果菜行，店面要怎麼擺、要從哪裡進貨、要有多少利潤、要用什麼方法吸引顧客、賣剩的商品要如何處理等問題。芬蘭的小學裡，也告訴孩子們「像芬蘭這麼小的國家，務必要創造出國際化企業、活躍於全球」。這樣的教育方針，可謂極其正確。

人口只有五百萬到九百萬左右的北歐各國卻能創造出全球頂尖企業，在在證明了這樣的教育是正確的。例如，丹麥有全球最大助聽器生產商威廉戴蒙特（William Demant）、風

圖表5-13 全球競爭力排名（2005年）

IMD		世界經濟論壇	
1	美國	1	芬蘭
2	香港	2	美國
3	新加坡	3	瑞典
4	冰島	4	丹麥
5	加拿大	5	台灣
6	芬蘭	6	新加坡
7	丹麥	7	冰島
8	瑞士	8	瑞士
9	澳洲	9	挪威
10	盧森堡	10	澳洲
11	台灣	11	荷蘭
12	愛爾蘭	12	日本
13	荷蘭	13	英國
14	瑞典	14	加拿大
15	挪威	15	德國
⋮	⋮		
21	日本		

資料來源：Global Competitiveness Report（World Economic Forum）
World Competitiveness Yearbook（IMD）

力發電裝置生產大廠NEG MICON與VESTAS；芬蘭有IT企業諾基亞及通訊大廠TeliaSonera、瑞典有易立信、伊萊克斯（Electrolux）、OMX（證交所）等等。不光是企業，國際性的NPO法人也有很多領導者是出身北歐。

街頭營生者造就「新榮景」

歐美有所謂「學院派營生者」（academic smart）與「街頭營生者」（street smart）的說法。學院派營生者的在校成績良好，擅長把別人已決定的事情很有效率地做好。目前為止一般人稱為菁英的那群人，都屬此類。

然而，在碰到從未體驗過的新問題

時，他們卻是全無因應能力，敗下陣來。因為「並無前例」就停止思考的菁英官僚，就是這種典型。

反觀街頭營生者，言下之意他們是在街頭成長起來的，是一群在真實社會中累積經驗而崛起的。他們善於構築人際關係，失敗了也不退縮，在無路可走時，能以自己的嗅覺突破。**在全無範本可參考的混亂時代，能開創新局的，毫無疑問就是街頭營生者**。過去在二戰後的混亂中，創辦全球數一數二企業的松下幸之助、本田宗一郎與川上源一等人，全屬此類。

現在的商業世界就像西部的開拓時代一樣，大家都在新經濟催生出來的「新大陸」上競相開拓。在這樣的時代裡，任何人都可能因為新想法或新商業模式，贏得廣大領土。

這種混亂的時代最需要的，並非目前為止學校所培育出來的那種學院派營生者。而是能在現實環境中獨立思考、自己為沒有答案的問題找到答案的街頭營生者。北歐之所以能從低迷經濟中脫身，可說就是因為他們的教育培養出了街頭營生者。

教育要能產出成果，得花上某種程度的時間。我們如果真的想構築起「新榮景」，就必須進行教育改革，讓學院派營生者可以透過「質的變化」轉換為街頭營生者。這才真正是最重要、最緊急的課題。

1 將國民年金、厚生年金保險及共濟年金合而為一的制度。

2 二〇〇二年八月五日起實施的網路系統，全名「住民基本台帳網路系統」，是一種將日本人的姓名、住所、性別、生日等資訊統一登錄，便於管理的系統。

3 為償還到期的長期公債所發行，以籌措必要資金的公債。

4 針對特定領域、產業特別放寬或撤除法規的管制，而適用於優惠條件的地域、區域。

〔第六章〕

新繁榮法則

讓政府變有錢的簡單方法

別再針對年輕人

為了脫離長期衰退、走上新的繁榮之路，就必須導入合於新時代的社會體系與稅制。由於「高負擔社會」的壓力節節高升，別奢言什麼新繁榮了，國家甚至可能走向破產。為此，有必要徹底改革稅制。但目前的稅制，卻漸漸朝錯誤的發展方向而去。

日本定率減稅[1]的階段性廢除、各種扣除額的重新檢討，以及社會保險費用的增加等等，讓二〇〇五年成為「負擔增加元年」。此外，政府稅制調查會的石弘光會長（一橋大學榮譽教授）也在二〇〇五年六月的「重新檢討個人所得稅的報告書」中提出了一些建議，縮減薪資所得扣除額、廢除配偶扣除額、廢除特定親屬扶養扣除額，以及重新檢討退休所得扣除額等。

這些建議等於是以上班族為增稅目標。證據就在於石弘光先生自己講的「只能希望上班族多努力了」。那些上班族絕對不會原諒這樣的稅制調查會長的。

如前章所言，行政成本有九成是可能刪減的。政府不但怠於刪減成本，還讓以「政府需要這筆錢」為前提，提出「只能撤除扣除額了」、「請上班族們多努力」等建議的人來進行稅務調查，實在是很奇怪的一件事。對國民來說，沒有比這件事還不幸的了。

這就像在對大家說「以前政府是故意放水讓大家不用交這筆錢的，所以現在廢除這些扣除額，也是政府當然的權利」一樣。我認為這是錯得離譜的想法。

國民總算也開始注意到政府在騙他們了。在有關財政問題的民調中，針對「財政重建是否無可奈何非增稅不可？」的問題，回答「否」的人，約占七成（圖表6－1）。而大部份人所認同的增稅條件則是「政府部門先重整結構」、「先減少公共事業或刪減公務員薪資來抑制歲出」、「徹底改革年金、醫療保險等社會保險制度」。這樣的意見真是極其中肯。

由於所得階層的兩極化，現在已成為M型社會，變成一個有八成國民屬中低階層的時代。平均所得減少了，薪資等流量愈來愈小，反之個人金融資產等項目的存量則漸漸上升。這對於沒有什麼資產存量的年輕世代來說，是極不公平的。

屋漏偏逢連夜雨，年輕世代的負擔又很重，他們能領到的年金數額，比自己繳交的金額還少。用於照顧高齡者的健康保險與照護保險等負擔也變得更重了。若要針對在這種狀況下日漸減少的所得課稅，極可能會引起年輕世代的強烈反彈。世代間會引發爭執，年輕世代會放棄對高齡者的照顧，拒絕繳交年金或保險費用。政局可能也會因而不安，出現更

圖表 6-1 針對財政問題的民調

財政重建是否無可奈何非增稅不可？（%）

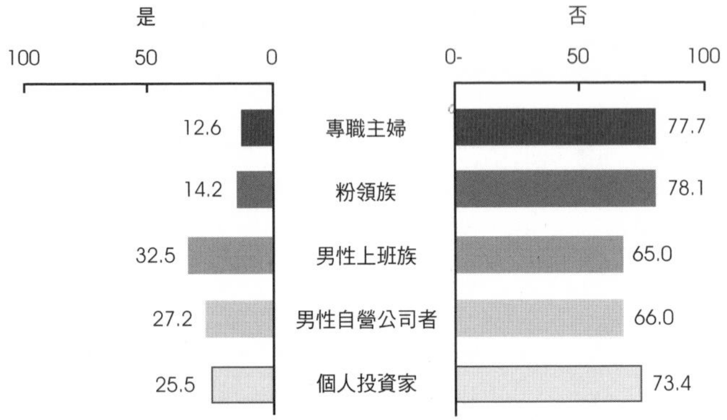

在何種條件滿足下，您認為「逼不得已只好增稅」？

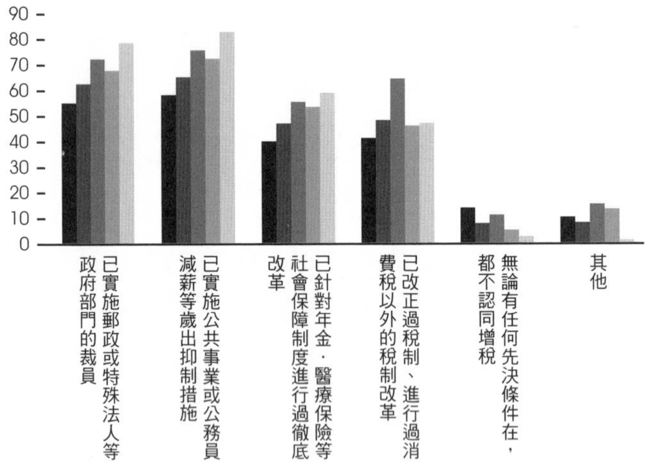

調查對象：專職主婦、上班族、自營公司者、個人投資家　有效回答數一九二七人
資料來源：週刊東洋經濟　二〇〇五年二月五日號

多因承受不住高額負擔而鋌而走險犯罪等情形。

政府目前的稅制調查，必然會造成這樣的結果。

連這種想當然爾的結果都無法事先看出來，那種視野狹窄的人，不能讓他負責稅制調查的工作。只會湊數字的那種「數學人類」，不可能想出什麼能徹底改善稅制的好方法。現在我們已經來到重新檢討整個賦稅制度的時候了。應該討論的是，以何種形式收稅才正確、採用何種稅制才公正。如果沒有談論到這些，政府根本稱不上是在稅制調查。

對那些只懂得在杯子裡加減乘除的官僚或學者，不能把這種任務指派給他們。如果不能考慮現狀與未來，徹底改變一直以來的想法、跳脫既有框架的話，將會找不到能回答這個問題的好答案。

那麼，對目前的我們來說，以及對於未來的人而言，什麼樣的稅制才是最好的呢？這樣的稅制必須要能讓社會跳脫高負擔時代，又能同時引領國家走向新榮景才行。

高齡社會只要兩種稅

依我之見，基本上只要收兩種稅就行了。

其一是針對資產所課的稅。日本所得稅目前的稅收也只有十四兆日元，若今後國民所得減少的話，即使在這部份增稅，只會讓國民覺得稅很重而已，對增加實際稅收的效果很有限。「增課所得稅」的想法，原本就是有問題的。

如（圖表6－2）所示，日本的民間薪資總額，亦即流量，在一九九〇年代後半開始急速減少。但這並非純然由不景氣所造成的。少子高齡化使就業人口減少，薪資總額自然也就減少了。也就是說，流量的減少是結構性問題，未來若持續採用所得稅那種流量式課稅的話，財源會愈來愈少。

另一方面，看看家庭的金融資產總額，也就是存量的演變，會發現在流量減少的一九九〇年代後半以來，它幾乎沒有什麼減少（圖表6－3）。簡單地說，「少子高齡化社會」，是一個資產增加、所得減少的時代。

這樣的結構，和成熟社會不謀而合。在日本高度成長期那種社會中，對流量課稅是理所當然的想法。有必要隨流量的增加而增加稅收，進而興建成長所需之基礎架構，以及為即將到來的成熟社會做準備。不過，一旦結束成長期而進入成熟期，任何經濟大國的流量都會減少，而成為一個倚靠目前為止所積蓄資產的存量大國。此時若以流量為對象課稅，將無法支持成熟社會之所需。

圖表6-2 民間薪資總額之演變（流量、兆元）

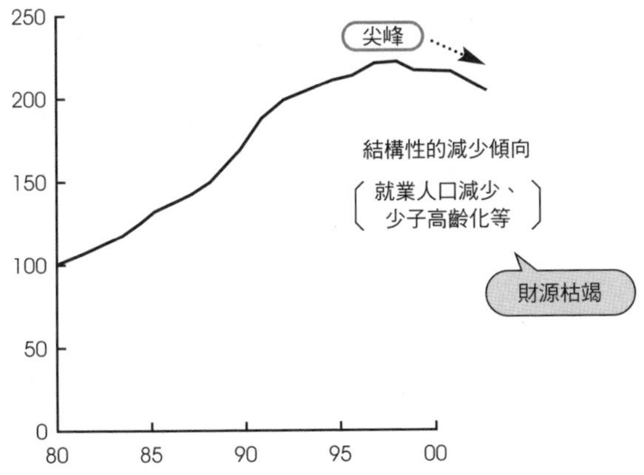

圖表6-3 家庭的金融資產總值之演變（存量、兆元）

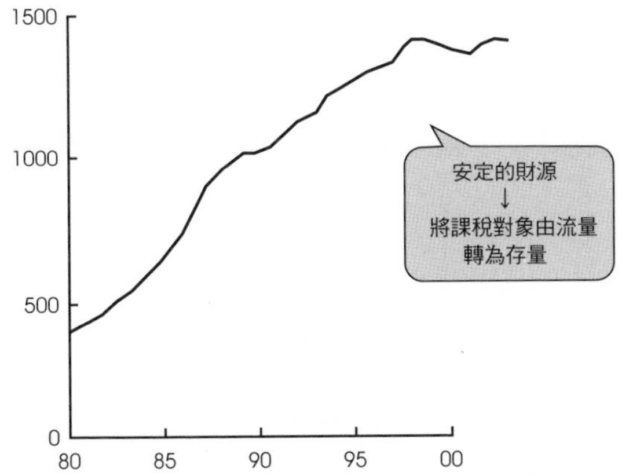

資料來源：國稅廳「民間薪資實況統計調查」、日本銀行「資金循環統計」

在美國的「雷根革命」中，緩和了對所得流量所課之稅、降低了稅率，並把累進稅率簡化為〇％、十五％、二十八％三個等級。所得稅率本身雖降低，總稅收卻反而增加。現在美國各州是以消費稅為主要稅收，鄉鎮市則以資產課稅為主。

別吃定上班族

現在我們最應該採用的良策，就是停止課徵所得稅，改課以資產稅。

針對流動資產與固定資產估算其時價再課稅，例如百分之一的稅。

日本人每人平均的金融資產為一千一百四十四萬元（二〇〇一年），是全球第二高，僅次於美國。若再把法人所持有的資產也加進來，日本整體的國民資產共有金融資產約五千五百九十三兆元、土地等非金融資產約兩千五百五十二兆元，合計八千一百四十四兆元（二〇〇三年）。從中再扣掉房貸或企業債務等日本整體的負擔額五千四百二十兆元，可得兩千七百二十四兆元的淨資產值。若課以百分之一的稅，可以有約二十七兆元的稅收（圖表6－4）。

目前的稅收，所得稅與法人稅合計也只有二十四兆元而已，二十七兆元超過這個數字還有找。關於資產，若能以一種叫「淨現值法」的方式完全計算出來的話，會比捕捉率很差、像竹簍一樣的所得課稅方式還要來得公正。此外，這也可以讓有如象徵稅制不公平的「十、五、三」的偏頗因而消失2。

此外，從企業徵收的法人稅，也和所得稅一起廢除。無論個人或企業，不針對其所得課稅，是這種新方式的基本想法。不管是個人還是企業，只要所得增加，都應該予以祝福。如果賺得愈多，就被政府剝削愈多的話，不但努力賺錢的意願會降低，甚至會不想繼續維持自己的事業了。

停止對所得稅而改為對資產稅，有兩個好處。其一是勞動意願會增加，讓勤勞世代變得更有元氣；另一個好處是，可以促進資產的流動。龐大金融資產動也不動，會阻礙到經濟的活性化，以人體比喻的話，就像血液無法順暢流通一樣。土地也一樣，除了遺產繼承以外都沒有什麼流動，勢將讓土地無法獲得良好的活用。如果針對資產課稅，大家會不得不把手邊用不到的資產賣掉，而使年輕人也有機會取得資產。

KOKUDO公司（西武集團的母公司）的資產號稱有四十二兆日元（泡沫經濟全盛期時），卻長年沒付稅金的原因，簡單講在於「事業不賺錢，所以不繳稅」。然而，只要課以百分之一的資產稅的話，該公司就必須每年支付四千兩百億日元的稅款，迫使他們無法再

圖表 6-4 日本是資產豐足的國家

日本的國民資產（淨資產值）

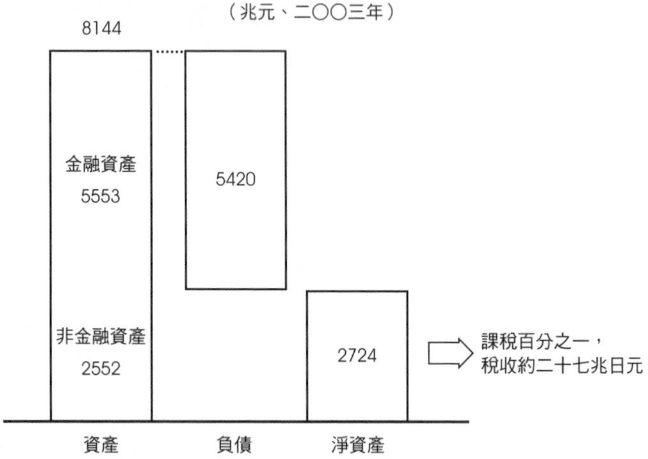

註：由於四捨五入，總值並非剛好二者之和
資料來源：內閣府「國民經濟計算」

<參考>家庭每人平均金融資產之全球比較

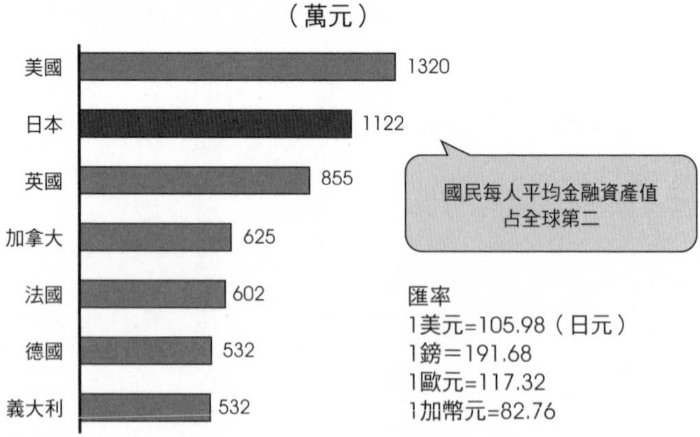

註：日本、美國為二〇〇五年六月底值，其他國家為二〇〇一年底值
資料來源：「資金循環統計之國際比較」、「資金循環之日美比較」（日本銀行）
資料來源：財務省

占著土地卻不運用。

另一層意義在於，可以透過資產稅免除遺產稅；也是說，繼承資產的人一樣是支付和原本一樣的資產稅，不會發生流量（此指交給別人）上的變動。所以針對繼承，資產課稅是「保持中立」的。澳洲等地沒有遺產稅，就是基於這樣的想法。

課資產稅可以去除資產定著不動的弊害，讓經濟活化起來，同時也讓人的心情也活性化起來。有人怕持有資產的高齡者會反彈，但我認為，高齡者都很了解年輕階層的人所處的環境有何等嚴酷，所以應該會「為了年輕一輩」而乾脆地接受資產課稅才是。

徵加值稅就不該課的稅

我所構思的另一種稅制，是附加價值稅。它不像消費稅那樣針對消費行為課稅，而是在產品或服務增加了附加價值時課稅。

例如，某產品到決定銷售價格為止，會歷經產生原物料的階段、加工原物料製作產品的階段、流通的階段，以及在店頭銷售等階段。每個階段的附加價值加起來，才成為最終價格。對於在各階段所附加的價值稅，就是附加價值稅的基本思考。

日本現行的消費稅有很多漏徵的部份。即便課了百分之五的稅，卻只有約十兆日元的稅收而已（二〇〇三年度是九兆四千八百一十四億日元）。不過，只要改為附加價值稅，導入透明性高的發票方式的話，就能正確算出附加價值、徵收稅金。附加價值稅的發票方式已在歐洲各國導入，發票（銷貨憑單或請款單之意）上會依項目明載其稅率，所以無法做怪。

此外，現行的法人稅是由銷售額扣除各種經費或損失後，才針對獲利課稅的。但由於法人稅的稅率很高，企業都熱中於找尋各種鑽洞的方式，設法用造假的費用或損失讓獲利看起來比較少。但如果取消法人稅，只徵收百分之五左右的附加價值稅的話，他們就不會把心思花在想各種花招上了，因為花力氣提升銷售額還比較有意義。設想各種玩弄小聰明的節稅對策會變得沒有意義（圖表6—5）。

只要廢止法人所得稅、只對企業徵收附加價值稅的話，不但國家徵稅的效率會提升，也能促進企業的活力。

那麼持有股票的人又如何呢？當然，和儲蓄一樣，資產課稅會在期末時的市價課以百分之一的稅額。但由於企業沒必要像現在這樣以稅後利益配股了，而且配股所得也不必課稅，所以這百分之一的負擔，事實上會比現在還輕。非上市公司在上市時，會課以百分之五的附加價值稅，而非現行的資本增值稅。

圖表 6-5 法人稅變成附加價值稅的話

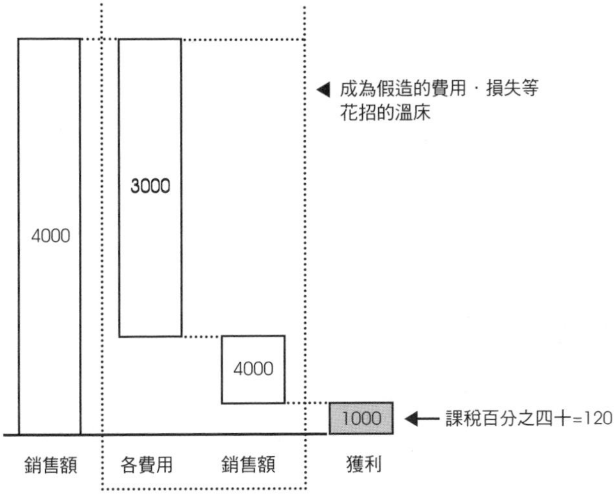

大前所提的「法人稅變更為附加價值稅」的作法

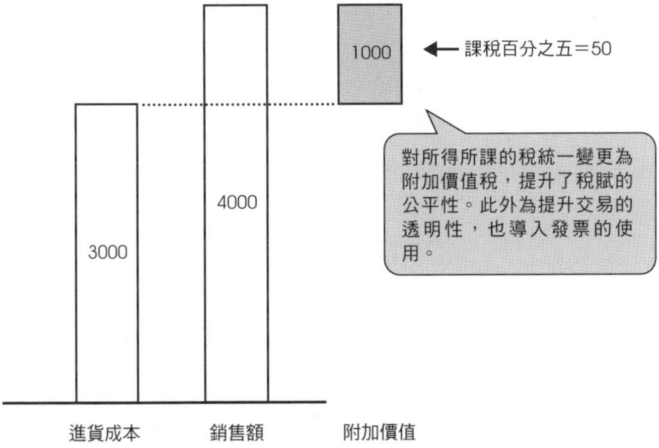

資料來源：大前研一《稅金是什麼》

總之，所有經濟行為以用這兩種稅制掌握。除此之外，所有的稅都可以廢止。這是我提議的重點所在。

另一方面，保險與年金等又如何呢？在保險的部份，儲蓄型保險（針對其預期存量）則課以資產稅。定期保險則在支付保費時課以附加價值稅。至於年金的部份，則依照當時所累積的「市價」課以百分之一的資產稅。

中央別跟地方搶錢

國內各階段產出的附加價值，合計就是GDP。日本的GDP約為五百兆日元，所以若設定附加價值稅為百分之十的話，就是五十兆日元的稅收；百分之五的話，就是二十五兆日元的稅收。

如果再加上資產課稅的二十七兆日元，在百分之十的附加價值稅下，總稅收會有七十七兆日元；百分之五的附加價值稅下，總稅收會是五十二兆日元。因此根據我所提的稅制，即便只收百分之五的附加價值稅，也還是高於目前的總稅收。

五十二兆日元雖然不足以涵蓋包含公債費用在內的政府稅出，但如前章所述，只要透過徹頭徹尾的政府再造，大幅刪減政府支出，即使把附加價值稅的稅率保持在百分之五，毫無疑問政府的財政也能成為黑字。

採用資產稅與附加價值稅兩套作法的話，高齡者中資產豐富者將會負擔起稅金，年輕人也有機會能取得資產，應該是相當公平的稅制。稅捐單位也幾乎沒有什麼事情好做了。配合我所提議的稅制，我設想了結合中央與地方的整體性稅制。

在日本目前的稅收結構中，中央稅款是由所得稅、法人稅、消費稅、其他稅（酒稅、煙稅、汽油稅等）所構成。另一方面，地方稅則分為道府縣稅與市町村稅，前者包括道府縣民稅、事業稅、地方消費稅、其他。市町村稅則有市町村民稅、固定資產稅、其他等項目，像是在訂出各種名目，零零碎碎地收取稅款。

如果調整為以道州、社群為中心的稅收構造的話，就像（圖表6－6）那樣，項目會十分清楚。

道州制的部份容後描述，簡單說就是把日本分為十一個道州，其下的市區町村則重新編成，變成一千個左右的社群。徵稅權基本上交由各道州與各社群，把附加價值稅視為道州稅、資產課稅視為社群稅，各繳交所收稅款的百分之五給中央。

從國際上來看，在地方稅的部份導入資產稅的國家並不算少。特別是大英國協的幾個國家，多半都採資產課稅。英國的地方稅百分之百如此，加拿大的州稅雖以所得稅與消費

圖表 6-6 現行的稅收結構（兆元、二〇〇三年）

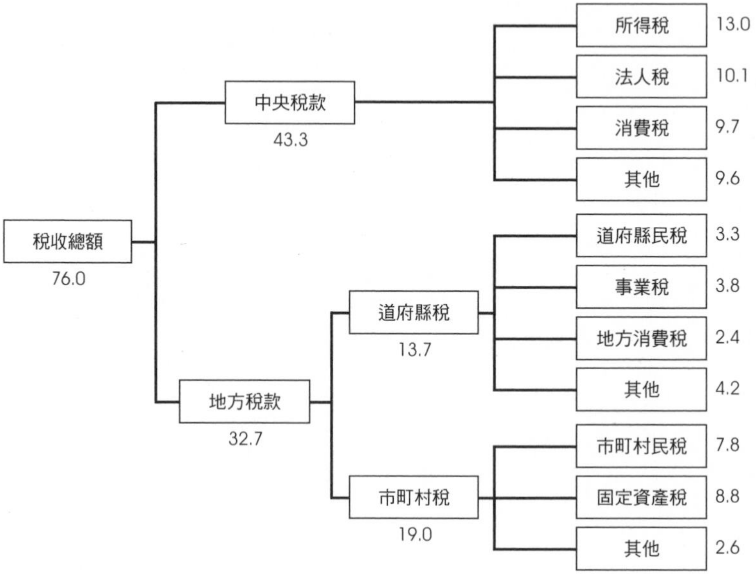

以道州・社群為中心的稅收結構（兆元）

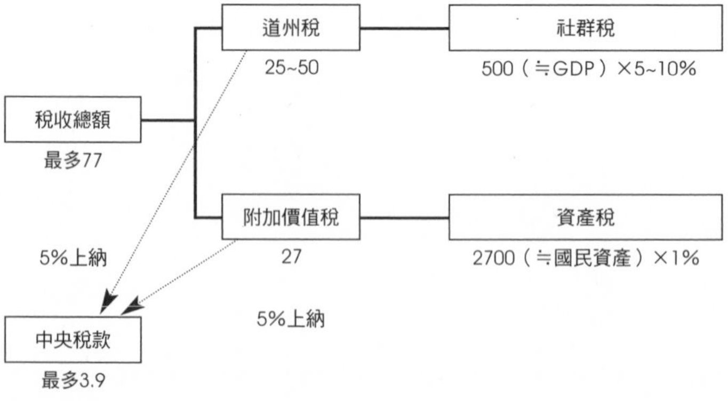

稅為中心，鄉鎮市則有百分之十六點二的稅收是靠資產課稅。美國也一樣，州稅靠消費稅與所得稅、鄉鎮市則七成以上依賴資產課稅（圖表6—7）。

以這種形式試算，日本社群的稅收是國民資產的百分之一，約為二十七兆日元。此一財源可用於教育、醫療、治安、基礎架構整備等層面，構築起安全而舒適的社群。

道州的稅收則來自於附加價值稅，稅率則由擁有徵稅權的各道州地方政府自己在百分之五至百分之十的範圍內決定。此一財源可用於振興各道州產業、創造工作機會。在產業振興下，GDP將可上升，進而增加稅收。由於GDP不成長、稅收就會減少，所以各道州都會絞盡腦汁振興產業，吸引外國企業前來、吸引資金前來。道州之間因而會有所競爭，整體來看日本的經濟將因而活化。

此外道州、社群也把百分之五的稅收交給國家（中央政府）。國家的稅收試算約為四兆日元，以此為財源可以進行外交、國防、貨幣管理等只有國家能做的事。反過來說，除了「只有國家能做的事」之外，所有其他的事，都可以委由道州、社群來處理。確保工作機會的產業基礎就由道州處理；生活基礎就由社群處理。日本這國家最根本的統治責任體制，將可因而明確化。此外本提案也可以讓行政單位的「責任」與「稅制（財源）」一致。

圖表 6-7 地方稅的收稅基礎別組成之國際間比較

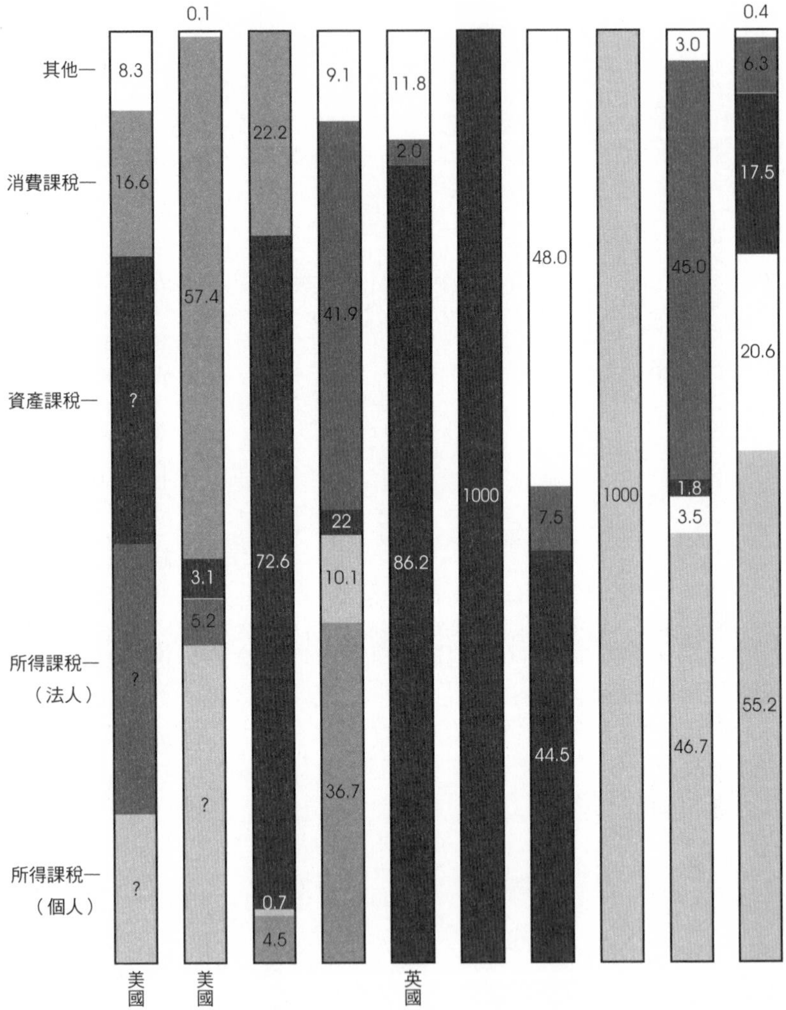

資料來源：「地方稅之國際比較」（瑞穗綜合研究所，二〇〇四年十一月二十六日）

無國界時代的繁榮要件

用別國的錢來繁榮本地

日本的生活成本很高、生活者感受不到豐足，固然是因為各種法規限制或利益結構，但之所以形成這種偏頗社會結構，「萬惡的根源」在於全球也很少看到的極度中央集權，使日本成為一個只有單軌經濟結構的國家。所有的財富都集中到東京去，再從東京重新分配出來。以此為前提的經濟活動，產生了既得權利，也成為培養出一群既得權利者的溫床。還有，由於那批落後時代已久的中央官僚或政治家頭腦的水準有限，所以能做的改革也很有限，除了只會反覆進行政府稅制調查或經濟策略會議之外，就什麼也沒有了。

在富國強兵的明治時代也就算了，但日本若到現在還由中央掌握大權，可就有點時空錯亂。地方若未能依自己的創意培育產業，只知道仰賴從中央流回來的經費的話，只會永遠無法自立、變得愈來愈弱而已。這並非目前大家正在討論的「將財源移轉給地方」那種細部話題，而是國家的結構，亦即有必要對統治機構進行根本性的改革。

要錢的話，全球到處都是。這些錢不是我們納稅人的錢，而是其他國家的錢。現在，我們已進入一個要從海外把繁榮帶回國內來的大競爭時代了。在這樣的時空中，全球的錢卻幾乎不流向日本。這是因為目前日本的誘因完全無法吸引全球各國。

我在一九八六年出版的《新・國富論》中，曾表示有必要進行第二次廢藩置縣[3]的措施，此一想法正是現在的日本所需要的。

這樣的想法與目前常被提到的地方分權是完全不同的概念。地方分權仍保留東京的那些官僚機構，只把部份權限分給地方而已，中央集權的結構還是沒變。我所主張的是一種「廣域事業部制」，近似於企業讓各區域市場獨立計算盈虧的制度。它是要讓每個道州都像一個國家一樣，能以世界為對象直接交易。

要構築一個讓人流、物流、金流，以及情報流，都不再經由首都，而是直接自由出入的政治、經濟單位。

全球以一九八五年為界線，進入了「新經濟」的時代。經濟開始無國界化，同時「民族國家」(nation state)的框架也開始薄弱起來。取代國家而浮上檯面的「經濟發展單位」，就是擁有獨特性的區域，也就是「區域國家」（region sate）。

我所主張的就是一種「區域國家」的制度，也是最適於構築「新繁榮」的國家體系。

大陸變六國、北美變五十國

中國的經濟成長也如我在《中國，出租中》所講的一樣，各省宛如區域國家一樣，為發展獨自的經濟、從全球吸引資金前來而誕生。朱鎔基擔任總理時所開始的改革把經濟面的權限交給了地方，成為一個實質上的「聯邦制」統治機構。

其中的「東北三省」、「北京、天津迴廊」、「山東半島」、「長江三角洲」、「福建省」、「珠江三角洲」的沿岸六大區域的發展尤其顯著。這些區域的獨立性很高，與其說是中國的一部份，不如當它們是一個國家還比較正確。它們超越了這些區域（region）的範圍，成為了「超區域」（mega region），也就是以「區域國家」之姿相互競爭，競相從全球吸引資本、企業技術、人才，促成了整體的經濟發展。

「中國不久就會分裂、變成好幾個國家」——雖然對中國的未來也有人提出這樣的質疑，但分裂本身並不是問題。中國只要能從「一國兩制」變成「一制多國」，毫無疑問經濟還是會漸漸發展起來。相對的，若中央政府以鐵腕統治的話，中國的發展就會結束。

此外，美國經濟之所以能從三十年前的谷底復活的理由，也和國家經營的機制碰巧合乎新時代有關。美國在一七七六年發表獨立宣言，一七八三年的巴黎條約中取得自英國獨立的勝利。當時的美國是一個承認十三州自治的聯邦制國家，但該制度卻是各州對強力的中央政府感到強烈反彈，而創造出來的苦肉計。

然而幸運的是，這樣的機制卻十分合於現在的無國界經濟時代、區域國家的時代。正如美利堅合眾國這名字一樣，各州以區域國家之姿訂定自己的政策、為求繁榮而自己絞盡腦汁。即使華盛頓什麼都不做，加州還是自己創建了矽谷；北卡羅萊那州也開發了「三角研究園區」（Research Triangle Park）；波士頓也因為沿著一二八號公路的高科技中心而復活；佛羅里達州則蓋了迪士尼世界，每年有四千萬名觀光客造訪。

美國各機場要讓飛機飛往全球哪個機場，也是由當地自行決定。例如奧蘭多機場的班機要飛往哪兒，就是由奧蘭多市決定。因此你一來到奧蘭多，它不是直飛倫敦的希斯羅（Heathrow）機場，而是直飛蓋威克（Gatwick）機場；它也有來自中南美的直飛班機，窮盡各種心思要吸引全球觀光客來到迪士尼世界。

但是我們則事事都要聽從中央的指示，不可能實行這些事。

像美國這種國家的經營方式，和網路社會很合。所謂的網路，就是構成它的各個要素都能自立，但又彼此相連；它們一方面相互競爭，一方面又交換情報與資源。即使某一要素卡住了，其他要素仍能繼續發展。有五十個州，等於在面對危機時有五十種解答，只要從中選出正解即可。在美國，為及早求出正解，各州間會有激烈競爭。正因為如此，美國才能數次度過各種危機。

中國突然繁榮起來也不是偶然。北京的中央集權在一九九八年畫上句點，變成了「中華聯邦」。印度的州制也開始啟動，受到全球矚目。我再強調一次，要錢的話，全球到處都是，這種不強要國民出錢，就把繁榮從世界吸引過來的能力，正是二十一世紀的政治家最必須具備的重要資質之一。

經濟繁榮的最少人口數

那麼，最適於日本的「道州制」（地方制）到底是什麼呢。若測量現在全球最繁榮的北歐或愛爾蘭、美國以及亞洲的「區域國家」等地的經濟活動，在無國界的經濟中，「繁榮的最適單位」，是最低三百萬人口至最高兩千萬人口。

三百萬至兩千萬人的單位，已經是足以成為國家的規模了。中央若要讓出權限，是相當適切的對象。國家只要管理國防、貨幣等國家統治所需之最低限度的事情就夠了，其他事全都交給道州即可。立法也一樣，除了非得全國統一的必要事項外，基本上都由各道州來做就可以了。

假設以一千萬人為單位，我想，把日本分為十至十二個道州是很適切的。關於道州的區域劃分方式，各界有不同見解，但為使道州發揮區域國家的機能，就必須讓各道州在歷史、文化上有區域性的整體感。幸而，日本已經有北海道、九州、東北地方、關東地方等區域畫分了，只要以此為基礎，再根據人口分布、成為商圈的特質，以及未來發展性等因素再劃分下去就行了。

這樣的話，怎麼想都會劃成我一直以來所提議的那十一個「道」。北海道、東北道、關東道、首都圈道、北陸道、中部道、關西道、中國道、四國道、九州道、沖繩道。順便一提，之所以用「道」來做為劃分的單位，是因為歷史上、日本自古以來就把一整塊的大地域叫做「道」。

首都圈道包括東京、埼玉、神奈川、千葉等地域，是人口三千三百萬人以上的大規模區域。我認為應視之為具有首都機能的「特別區」。

反之，沖繩道雖然只有一百三十萬的人口，規模對於劃分為「道」是小了點。但自古以來，當地就有獨自的歷史與文化，今後也有很高的可能性能以東中國海經濟圈為中心繁榮起來，因此我仍想提議劃分它為獨立區域。

就是這十一個道州，要各自想辦法競相成為繁榮區域。

圖表 6-8 日本的道州區域的經濟規模

（二〇〇五年推估、十億美元）

1	美國	12,452
2	德國	2,800
3	英國	2,197
4	法國	2,113
5	中國	1,910
6	義大利	1,719
7	首都圈道	1,428
8	西班牙	1,124
9	加拿大	1,106
10	韓國	800
11	巴西	789
12	俄國	772
13	墨西	758
14	關西道	749
15	印度	746
16	澳洲	684
17	中部道	680
18	荷蘭	623
19	九州道	410
20	比利時	365
21	瑞士	365
22	瑞典	354
23	土耳其	353
24	關東道	352
25	台灣	351
26	沙烏地阿拉伯	314
27	奧地利	307
28	挪威	295
29	波蘭	286
30	印尼	270
31	中國道	268
32	丹麥	252
33	東北道	237
34	南非	234
35	希臘	220
36	伊朗	203
37	北陸道	202
38	愛爾蘭	200
39	芬蘭	191
40	北海道	186
41	阿根廷	177
42	葡萄牙	174
47	委內瑞拉	131
48	四國道	127
49	以色列	124
74	盧森堡	34
75	沖繩道	33
76	厄瓜多	32

首都圈：埼玉、千葉、東京、神奈川
關西道：滋賀、京都、大阪、兵庫、奈良、和歌山
中部道：長野、岐阜、靜岡、愛知、三重
九州道：沖繩之外的九州地方
關東道：福島、茨城、栃木、群馬、山梨
東北道：除福島外的東北地方
北陸道：新潟、富山、石川、福井

註：各國GDP依IMF之估計，道州地域的GDP則依BBT總研的推估
資料來源：World Economic Outlook(IMF)、縣民經濟計算（內閣府）

例如，北海道現在每年有四千八百萬名的觀光客造訪，未來也很可能發展為亞洲重要度假名勝。現在到了冬天，已有愈來愈多團體觀光客大舉從香港、上海及澳洲一帶前來北海道度假。中國國內很少有地方下雪，所以對中國的富裕階層來說，北海道是很有魅力的度假名勝。

從中國、香港、台灣、新加坡，以及經濟成長顯示的泰國或馬來西亞，甚至連澳洲，都有觀光客前往北海道。為此，北海道只要推出自己的政策，像是投資於全球大型航空公司、加速讓道內各社群和亞洲各都市間建立起直飛航次就行了。

此外，夏天只要把時針撥快兩小時，在札幌成立國際換日線之後全球最早開市的金融市場的話，就可能成為不輸新加坡的金融中心。金融機構必須為此而做些什麼，不必聽日本財務省的，只要由北海道財務省決定即可。再補充一點，札幌一有行政機能，可能會讓它成為集合多種功能於一地的「小東京」，所以應該把道議會、道廳等單位移到札幌以外的地方。

十一個經濟圈——不獨立、走出去

但在十一個道州中，也有不禁讓人擔心是否能發展為經濟圈的區域，例如四國道，它的人口只有四百萬人左右，也給人「經濟力不太好」的印象。不過，它那約十五兆元的經濟規模，和委內瑞拉或以色列是差不多的，所以要在全球當個「區域國家」，已經十分足夠。它應該抱持的想法是，不要去向中央伸手要求財富的分配。只要能自己設法創造財富，人口雖然不多，還是可以開啟成為生活者大國的道路。

丹麥這個在歐洲算小的國家，卻能在利基型產業中誕生許多全球的一流企業。從乳製品等食品領域，到風力發電機、餐桌巾供應服務、助聽器、貨櫃運輸等等都是。

四國道可以參考丹麥的作法開拓利基領域，像是以南方的高知灣為中心，多多深化與太平洋對岸的美國或澳洲、亞洲各國的交流，應該就能大大提升發展的可能性。

北陸道（新潟、富山、石川、福井）也一樣，只要以面對日本海的廣闊帶狀區域自許，構思與對岸的俄國、中國、朝鮮半島沿岸都市發展經濟圈就行了。美國的加州就有一條與海岸線平行的高速公路，成為構築起太平洋經濟的一大動脈。北陸道只要能像加州的海岸高速公路一樣搞好交通體系的話，發展的可能性還是很高的。

由於新潟目前已進入關東甲信越的經濟圈，所以新潟人會說別把他們和北陸放一起，但北陸的人也會說不想和新潟放一起。但為了將來的發展與繁榮，應該要不受限於目前國內的商業結構，以更廣大的區塊經濟圈的角度來發想。

各道州之下，則廢止所有的府縣，把現有的兩千一百個市町村再重編一次，在全國設立一千個左右的社群（市）。社群負有「確立生活基礎架構」的責任，規模約為五萬至二十萬人。在國家把許多權限移轉給「道」的時候，「道」也把許多權限移轉給了社群。這麼一來，就可以很有效率地提供更符於社群實際需求的服務了。

此時，我認為社群沒必要設置議會。目前日本常有居民直接選舉出來的都道府縣知事與有政黨或利益團體奧援的議會、議員對立的情形。議員是代表利益團體講話的，對政策所負的責任又少。存在這樣的議會、議員，正是改革之所以失敗的原因。所以新成立的社群裡，不需要誇張的議會與全職議員。即使要設議會，也只要像瑞士那樣，由一般市民兼任的就夠了。

只要像這樣劃分成道州與社群的兩個階段，應該就能大幅刪減行政成本，又同時讓效率大幅提升。

每個人都成為改革者

美、中為何強起來

美國經濟之所以復活的理由，除了州聯邦的國家結構符合目前的潮流外，還有另一個理由，就是該國維持著積極的移民政策。美國的本國產業在二十年前曾因衰退致使失業率到達近百分之十，但即便每年都接受一百萬人的移民，現在卻仍能和日本差不多，將失業率維持在百分之四至百分之五的程度。這代表美國創造就業機會的能力很強。

一九八〇年代，美國曾因「日本進口貨影響本土製造業無法發展」，而興起強烈的反日情結，甚至有人拿榔頭敲壞日本產品。我自己也曾在美國的餐廳遭遇過「這裡沒有位子給日本人坐」的惡劣對待。然而，雷根革命所徹底實的法規鬆綁與市場開放改變了美國，而在進入一九九〇年代後帶來繁榮。

現在美國雖與中國不合，卻只是一種在預計和好之下、假裝非難的政治秀而已，並不像過去非難日本那麼強烈。之所以如此，唯一的理由就是美國對國家的經營感到相當有自信所致。

美國是全球最懂得「借別人力量發展自己經濟」的國家，它從全球集合了人才、物料與資金，讓自己的國家繁榮。在體育的世界中，全球各國的明星選手都會集合到NBA或大聯盟；電影的世界也是，各國的知名演員最後都會以進軍好萊塢為目標來到美國。只要能在美國獲肯定，世界就是他的市場。美國這國家就像一直在各種領域中舉辦奧運比賽一樣。

中國也一樣，它在沿海地帶設立的六個區域為了發展經濟，都採取了吸引外資、借助其力量的政策。在無國界經濟的時代中，這種「借力使力」的策略，正是一條邁向繁榮的道路。

我除了每年在日本出版幾本書外，也將作品改寫為英文後在美國出版。只要書在美國出版，全球就會有十多種語言自動翻譯出版，所以我的無國界理論或區域國家論等等，可以讓全球人士都知道。即便我的演講費用一小時要價五萬美元，全球的邀訪還是源源不斷。即使在墨西哥或土耳其，都有三千人來聽我演講。每次我因公出差美國時，《財星》、《紐約時報》、《華爾街日報》、《新聞週刊》等刊物就會來採訪我。這樣的事情，可以算是拿到金牌了吧！當然，要想在美國出書，門檻也很高。現在在日本，有能耐在美國出書的，也只有村上春樹而已吧！

無論在經濟學或在資訊科學的世界，全球的優秀人才全都會前往美國的大學學習。在管理的領域中，除我之外的演講者，大多都是美國人。不過他們之中又有波蘭裔、義大利裔或匈牙利裔的猶太人等等，同為美國人，卻有很多不同類型。能有這樣的一群人相互切磋琢磨，是美國勝人之處。

我從二十五歲起在美國這個競爭社會中待了三十七年，實在很想把那裡的嚴酷告訴接下來的世代。我之所以不只在日本出書，也在全球出書、巡迴演講，是因為我認為，只有把自己放逐到批判的漩渦之中，以「不能輸」的精神奮戰，才能持續磨鍊自己。美國社會，尤其是言論界，是非常嚴格的。但一個國家若沒有幾十人，甚至幾百人承受得住這樣的磨鍊的話，實在很難再次受到世界的尊敬。

市場開放正是全球最大課題

我們想跳脫長期衰退的結構，就唯有開放市場與社會，集合全球的人才、物料與資金才能做到。每年從全球流入日本的資金約只有九千億日元（二〇〇四年，聯合國貿易暨發展會議資料），尖峰時期則為三兆日元，但大多都是力寶塢（Ripplewood）等禿鷹基金之流而已，很難說其資金是直接投資。相較之下，中國每年就有七點三兆日元（二〇〇四年，聯合國貿易暨發展會議資料）的資金從海外流入。

如果資金不進來、企業不過來、人才不前來的話，能讓產業成長的條件就等於是零。這樣根本無法停止長期衰退。

少子高齡化的趨勢已經止不住了。日本人年齡的中位數在二〇二五年會超過五十歲。孩子的數目又不可能急速增加，因此只能透過海外前來的移民來增加年輕人的數量。

問題在於，我們還沒有像樣的機制考接受移民。我以前曾經提議過，應該請畢業於各國出色學校的人前來，讓他們接受為期兩年的免費公民化教育。不光是語文而已，還包括生活規則或禮儀。能以優秀成績畢業的人，就發給綠卡。透過這樣的形式，就可以有組織地接受高水準移民前來。

當然，公民化教育必須是免費的，因為少子化現象，學校的校舍與老師都過剩，所以這件事馬上可以做到。應該要有自覺的是，如果沒有每年以百萬人規模辦理這種活動的話，將來不及解決人才不足的問題。就算政府的財政問題最後總算解決了，還是會缺少負擔高齡者社會福利的人。

如果還像現在這樣，亂無章法處理外籍人口的問題的話，就會像東京都知事石原慎太郎所說的，變成全都是一些在風化場所廝混的劣質外國人。這會導致一般民眾對移民產生偏見與反彈，讓已經前來本國的外國人也因而討厭起這個國家、變得想要離開這裡。以長期眼光來看，這是會為國家帶來負面效應的一大因素。

把地方當成「繁榮的單位」思考

我所主張的道州制（地方制），是一種各地方競相從全球搶得人才、物料、資金的地方制，它是「繁榮的單位」。

不過國會議員間對地方制的探討，卻只強調成本刪減的部份而已，也就是向後看的地方制。地方制議員聯盟雖然也已成立，但一聽他們的話題，卻只想到成本刪減而已，說什麼「中央機關的地方單位若與地方政府單位合併，可在全國省下三千億日元」。這也讓人感覺到他們想讓自己也能收取到外形標準課稅[4]的私心。總之，那是沒有夢想的地方論。

同樣在日本，只要各地方間的稅金有高低之別、日子有難過易過之別，人就會搬到更為豐足、更容易居住的地方去。其結果是，各地方為成為更好的區域國家，會開始相互競爭，使日本整體能夠繁榮。這才是我所提倡的地方制。

例如，北海道若以成為金融中心、以及亞洲的度假名勝地為目標的話，那麼以九州的地理條件來看，就可以與中國東部或韓國共組一個經濟圈，以亞洲樞紐都市的身份繁榮起來。

這樣的話，就知道目前以縣為單位所設置的機場，有多麼落後了。九州的經濟，規模與韓國差不多。應該需要一個不輸仁川機場或釜山的樞紐。然而，一看到佐賀機場和北九州機場等偌大的建設專案，甚至會讓人覺得，九州是不是在走回頭路，回到江戶的參勤交代（譯按：指各地諸侯每隔一定時日要進京向將軍請安，為公元一六三五年訂定之制度）時代去了。這些建設只關心和東京間的航行，卻沒有想到要和同在九州內的黃海經濟圈交流的意思。至於響灘的海灣，面對近在咫尺的釜山，也完全看不出來曾做過任何考察的動作，以和這樣的強勁對手競爭。

只要把地方制當成繁榮的單位，絞盡腦汁讓各地方像中國或美國那樣，集合全球的人才、物料、資金就行了。各地方在國內的相互競爭，正可為國家開啟一條通往繁榮的道路。

當然，目前的政府並無這樣的願景。國民如果沉默的話，就只能聽從「吵鬧的小眾」，也就是少數利益團體所說的，任由執政者維持中央集權的封閉社會結構，繼續長期衰退下去了。接下來的時代所要求的，並非目前為止那種「一切聽由他人」的作法，而是要各位以一個生活者的身份發言、採取行動。

中低階層的人們，別再當個感嘆「收入減少、升官無望、負擔卻一直增加」的犧牲者了，而應該有所自覺，知道「自己是個改革者」。

1 一九九九年由小淵內閣為改善景氣所導入的「永久性減稅」對策的一部份。所得稅額的百分之二十（上限二十五萬日元）與個人居民稅額的百分之十五（上限四萬日元），可以扣除免繳，以減少國民的家計負擔。

2 所謂的「十、五、三」是指，上班族的所得百分之百會被稅捐機關掌握到，自營商與農家則因為有「費用可以先扣除」等因素，大約分別只有百分之五十與百分之三十而已。此值又稱為「所得捕捉率」。因所得性質的不同導致捕捉率不同，會造成課稅上的不公平。

3 一八七一年時明治政府推出的新政，廢除傳統諸侯的封建制度、建立地方政府。

4 指不依所得課稅，而依據企業的營收、員工數、人事成本等外觀上或客觀上能掌握的數量或金額來收稅的一種制度。

總結》

光是除舊，不足以布新

讀完本書後，毫無疑問，各位會對媒體輕率地報導「小泉改革已進入了收尾階段」感到憤怒。日本在二十世紀建造起來的耀眼金字塔，是「即使沒有資源、即使遠離全球市場，只要有優秀人才，仍能成為全球第二個經濟大國」。

這件事到了二十一世紀，應該如何才能維持？只要想到這件事，就知道目前為止的改革根本連入口的邊都還沒碰到了。

此外，以我之見，這「失去的十年」，是對國民毫不關心、矇騙他們的時代。任何國家都陷入了泡沫破滅與金融危機。對此，卻沒有採取根本性的措施，只意思意思以稅金或公債做為景氣對策，進而還去拯救讓存款人變成沒有利息、應該倒掉的銀行；企業則擺出裁員的姿態。一切對策都集合了「向內、向下、向後」三要素。

還好，幸運的是，隨中國經濟的突飛猛進，傳統產業跟著復活了。兩百兆日元（公共資金加利息減免）的投注以及毫無止境的合併，也讓大銀行復活了。銀行復活固然也讓人高興，但這對存款人來說，或對國民來說，到底有什麼好處呢？沒人知道。不過，這卻顯示出為政者的施政方向。

在這樣的情境中，小泉改革達成了讓人耳目一新的改治成果。至少，他做到了自己長年以來主張的事，其附加效果是宿敵橋本派的勢力整個消滅，各派系領導人也沒有威脅性了。一回過神來，才發現對於中國與韓國，他也是毫不手軟——這也意味著他告別了朝日新聞那種戰後的民主主義——這就是現在的日本。

然而，這才是問題之所在。**一連串的「改革」，充其量只是把老問題的不好部份、弄錯的部份去除了而已，並不保證此後就會有國際競爭力、國民生活就會變好**。況且，也沒有讓國民覺得，自己真的在享受人生、自己出生在這裡真好。這也是為什麼我會在本書開頭處說，小泉改革只是頭痛醫頭，腳痛醫腳。

我再強調一次，我並不是在批判小泉先生。身為日本國民，還是非感謝他不可，我也是其中之一。這條路，非得有人來走不可。摧毀舊東西，是催生新東西的必要儀式。

然而，歷史將會證明，從中無法誕生任何新東西來。戈巴契夫雖然摧毀了蘇聯，卻沒有讓新希望誕生；波蘭前總統華勒沙也跟著把舊事物一掃而空，但也產生不了什麼新事物。小布希身為小泉的盟友，也提供了日本聊勝於無的幫助，他在美伊戰爭中也只是清除了海珊一派的勢力而已；不但沒有產生新東西，還讓舊傷化了膿，變得比以前惡化。

只有中國看起來在這個儀式上是成功的。不過他們是置舊東西於不顧，由鄧小平和朱鎔基等少數天才政治家設下了專為誕生新東西所設的機制。只要新東西誕生了，舊東西就會自然淘汰、改革就可以輕鬆地推動了。只要了解到新東西所帶來的好處，大家的抵抗就會愈來愈少。當然，其後會有必須付出的代價出現，所以我並不打算說中國自此以後就可以安然無恙了。不過與其他社會主義國家相比，中國之所以能比較早轉向資本主義社會、市場經濟，也比較順利，與其說是它摧毀了舊事物，不如說是它優先設定了能誕生新事物的機制。

「突出的個人」是國家繁榮的關鍵

日本的問題有兩個。其一是不管明治維新還是戰後的復興，都太過成功了，使得大多數國民或政治家，都沒有明確認識到國家機制與統治機構還存有一些尚待解決的根本性問題。

但先進國家中這麼中央集權的，只剩下日本而已。大國都已如中國或印度一樣，完全進入近似於聯邦制的地方自治了。至少在經濟政策上，主導權已由中央移往區域國家了。

二十一世紀的經濟若缺少能從全球將財富吸引到區域的機制，就繁榮不起來。若想靠資源或稅金維持繁榮，會陷入自我矛盾（想繁榮的話，唯有加重負擔）。若想徹底解決此問題，就必須採取最基本的改革，也就是本書提到的因應高齡社會的稅制改革，以及從全球引來財富的道州制。

第二個問題點在於人才。十九世紀後半，日本追上了西歐，也超越了西歐。不過另有一部份菁英則是在留學地點或在圖書館學到東西，然後一個勁兒地照著模仿、實行，而成為「東洋的菁英」。日本成功的關鍵，在於有這麼一群菁英在。其他人只要默默跟著照做就行了。但這也是日本陷入第二次世界大戰的遠因。

戰後，日本一面唸著「同樣的過錯不再犯」的咒文，一面透過加工貿易成為世界的工廠。大量生產、品質第一，讓日本在全球市場中大舉賣出產品。進入下半場後，日本又在全球主要市場開設工廠。成功的關鍵在於「勤奮、努力工作、高品質勞動力」。國家讓這些人擁有「一億總中產階級」[1]的意識，讓正在斜坡上的他們相信，只要好好工作，不久國家就會成為高度福利社會。

接下來的社會所需要人才，並非這兩者中的任何一種。不是要努力追趕別人型的，也不是要人人都優秀、勤勉工作型的。雖然這幾種人才也不是不需要了，但要使此後的國家維持在全球頂尖水準所需要的人才，是無論到世界的哪個角落，都能活躍起來的北歐型人才。他們無論前往哪裡、和誰一起工作，都能發揮指導力、想出別人所想不到的點子。外語能力是基本的，此外構思能力也要出色、要對各國文化有深入了解，而且要能透過「邏輯」這個全球共通的武器推動工作。

二十一世紀最大的特徵是，主導權由國家移往個人。比爾．蓋茲就不用提了，麥可．戴爾與瑟吉．希林、賴瑞．佩吉（Google）、印度的那拉亞納．莫西（Infosys）或拉馬林可．拉裘（Satyam）等人，都改變了國家的（或至少是區域的）經濟形態。在中國，只要到瀋陽或大連去，到處都是東軟（Neusoft）劉積仁蓋的產業園區。這和我們政府一個勁兒打造，卻放著養蚊子的產業園區相比，實在是很鮮明的對照。

沒錯，**二十一世紀是地方從國家取得主導權、企業從地方取得主導權、個人從企業取得主導權的時代**。反過來說，只要有表現突出的個人，企業無論走到世界哪個角落都能成功。只要有該企業前往的區域，就會繁榮起來。最後，只要能擁有幾個繁榮區域，國家也會繁榮。

國家最大的責任，也是最後的責任，在於盡可能多培養這種能堪大任、有個性的突出人才。目前為止那種適於從事大量生產工作的人才再多，也無法在世界維持住領導力與經濟力。這種產業本身，已經移往金磚四國或其他發展中國家去了。之後的領導人，若無法對此一現象有深切體認，國家的再起將會變得更慢，甚或再也爬不起來。我在全球旅行，深刻體會到現在正是極其重要的時刻。

扭轉「出生即負債」的方法

戰後復興之時，大家都只是一個勁兒的工作，政府則是一個勁兒的建造社會的基礎架構。最近雖然已無這樣的需要，政府卻還是建個不停。泡沫破滅後，各種沒必要蓋的公共設施在全國各地呈現出悽慘的樣子。對於一個勁兒地工作著的我們，只有「晚年的不安」而已。愈是年輕的人，這樣的不安就愈深切。也就是說，雖然這樣的模式已經出問題了，卻連處理這些問題，政府都還要一個勁兒地利用國民的勤勞、財產，以及將來的本票（公債）。

接著，我們終於進入了「嬰兒一出生，就要負擔祖先們遺留下來的負債」的時代。即便如此，為政者還是不改惡習，持續飲酒作樂。政治家們現在可能連染色體都已經變成「目光短淺、眼中只有下次選舉」了。連為此做出報導的媒體，也只對於未來的選舉，在任者會把「改革的金冠」戴在誰的頭上感到有興趣。

針對「王位的繼承（下一任執政者的任命）」，有些話我們不能不說。至少，這個新執政者不能只像現任一樣，只是「摧毀舊世代惡習」而已，而應該為了催生新東西，而踏出大膽的第一步。老是只懂得破壞，是無法產生什麼新東西的。如果以「切掉舌頭的麻雀」那個故事來比喻的話，壺裡的漿糊（老婆婆出門時，麻雀偷偷把老婆婆做的漿糊舔光）——國民的貯蓄——已經所剩無幾了。

配合本書主旨，可條列出四點請下任執政者務必做到的要項：

1. **徹底變更統治機制（導入地方制做為繁榮的單位）**
2. **採用合乎地方制與高齡社會的簡單化稅制（地方＝附加價值稅；社群＝資產稅）**
3. **培養出到世界任何地方都能活躍的人才（教育之根本改革）**
4. **從生活者的立場考量行政單位設置（國民生活省等單位之設置）**

這四點，特別是前三點，是本書的主旨。

目前，日本媒體正忙著評論政府稅制調查以及小泉內閣的「最後收尾」。但我卻認為，國民之所以用冷淡的眼光看著此一情景，是因為不管媒體再怎麼評論，自己的生活還是看不出會有變好的跡象。而且在負擔增加下，還不保證服務品質就會提升。看著充滿繁榮景象的全球新聞，任誰都知道國家現在的意志消沉。

我們已經來到國民應該要強硬抗議政治章程的時候了。目前為止，只要政府一陷入絕境，就會奇跡似地往好的方向而去。失了焦的政治戲碼已進入了大團圓（最後收尾）的階段了。這場戲雖然比以前演得有趣，講的卻還是對我們全無好處的故事。另一方面，巷子裡的中低階層已經到達八成，國民的憤怒已經漸漸湧了上來。正因為如此，我更衷心期盼，此刻將會成為歷史性的轉捩點。這是我最後想用來總結的一句話。

1 指一九六〇年代起日本的國民意識，在一九七〇與八〇年代尤其強烈。由於終身雇用制的存在，九成國民都以中產階級自許，會花錢購買汽車、家電等產品。一九九一年泡沫經濟破滅後，這樣的意識隨之瓦解。

國家圖書館出版品預行編目資料

M型社會／大前研一著；/劉錦秀、江裕真譯.--初版. --臺北市：
商周出版：家庭傳媒城邦分公司發行, 2006 [民95]--面；公分--
（新商業周刊叢書；220）
譯自：ロウアーミドルの衝擊
ISBN 978-986-124-731-1 (平裝)
1.企業管理　2.階級
494　95015639

作者簡介

大前研一

1943年生。早稻田理工學院學士、東京工業大學碩士、麻省理工學院博士。曾任職日立製作所，於1972年進入麥肯錫顧問公司。歷任日本分公司總經理、亞太地區董事長、總公司董事。於1995年離職。其後，1996-97年擔任史丹福大學客座教授。現任澳洲邦德大學客座教授、大前協會董事，以及政策學校「一心塾」、創業家商業學校的創辦人。除了在《SAPIO》雜誌的連載之外，還有《新・企業參謀》、《民族國家的興起》、《無國界的世界》以及商周出版的《中華聯邦》、《思考的技術》、《創新者的思考》等著作。

大前研一的網頁：http://www.ohmae.co.jp

新商業周刊叢書 220

M型社會

原著書名　ロウアーミドルの衝撃
原出版者原　講談社
著　　者　大前研一
譯　　者　劉錦秀（前言、1-4章）、江裕真（5～6章、總結）
總 編 輯　陳絜吾
責任編輯　王筱玲

發 行 人　何飛鵬
出　　版　商周出版　城邦文化事業股份有限公司
臺北市中山區民生東路二段141號9樓
電話：(02) 2500-7008　傳真：(02) 2500-7759
E-mail：bwp.service@cite.com.tw
發　　行　英屬蓋曼群島商家庭傳媒股份有限公司　城邦分公司
台北市104民生東路二段141號2樓
電話：(02)25000888　傳真：(02)25001990
劃撥：1896600-4　英屬蓋曼群島商家庭傳媒股份有限公司城邦分公司
訂購服務　書虫股份有限公司客服專線：(02)2500-7718；2500-7719
服務時間：週一至週五上午09:30-12:00；下午13:30-17:00
24小時傳真專線：(02)2500-1990；2500-1991
劃撥帳號：19863813　戶名：書虫股份有限公司
E-mail：service@readingclub.com.tw
香港發行所　城邦(香港)出版集團有限公司
香港 灣仔 軒尼詩道235號 3樓
電話：(852) 2508 6231或 2508 6217　傳真：(852) 2578 9337
馬新發行所　城邦(馬新)出版集團
Cite (M) Sdn. Bhd. (45837ZU)
11, Jalan 30D/146, Desa Tasik, Sungai Besi, 57000 Kuala Lumpur, Malaysia.
電話：603-90563833　傳真：603-90562833
E-mail: citekl@cite.com.tw

封面設計　R設計
內文排版　MIKI
印　　刷　卡樂彩色製版股份有限公司
總 經 銷　農學社 電話：(02)29178022　傳真：(02)29156275

行政院新聞局北市業字第913號　Printed in Taiwan
■2006年9月初版
■2006年11月初版36刷

ISBN 978-986-124-731-1

定價：300元

商周出版

廣　告　回　函
北區郵政管理登記證
北臺字第000791號
郵資已付，免貼郵票

104　台北市民生東路二段141號2樓

英屬蓋曼群島商家庭傳媒股份有限公司城邦分公司　收

請沿虛線對摺，謝謝！

商周出版

書號：BW0220C　　書名：M型社會

請於此處用膠水黏貼

商周出版

讀者回函卡

謝謝您購買我們出版的書籍！請費心填寫此回函卡，我們將不定期寄上城邦集團最新的出版訊息。

姓名：＿＿＿＿＿＿＿＿

性別：□男　□女

生日：西元＿＿＿＿年＿＿＿＿月＿＿＿＿日

地址：＿＿＿＿＿＿＿＿

聯絡電話：＿＿＿＿＿＿＿＿　傳真：＿＿＿＿＿＿＿＿

E-mail：＿＿＿＿＿＿＿＿

職業：□1.學生 □2.軍公教 □3.服務 □4.金融 □5.製造 □6.資訊
□7.傳播 □8.自由業 □9.農漁牧 □10.家管 □11.退休
□12.其他＿＿＿＿＿＿＿＿

您從何種方式得知本書消息?

□1.書店□2.網路□3.報紙□4.雜誌□5.廣播 □6.電視 □7.親友推薦
□8.其他＿＿＿＿＿＿＿＿

您通常以何種方式購書?

□1.書店□2.網路□3.傳真訂購□4.郵局劃撥 □5.其他＿＿＿＿＿＿＿＿

您喜歡閱讀哪些類別的書籍?

□1.財經商業□2.自然科學 □3.歷史□4.法律□5.文學□6.休閒旅遊
□7.小說□8.人物傳記□9.生活、勵志□10.其他＿＿＿＿＿＿＿＿

對我們的建議：＿＿＿＿＿＿＿＿

請於此處用膠水黏貼